KANEMAKI Yoshitoshi

金巻 芳俊

◉文＝志賀信夫

★《ワナリ・カプリス》2019年、H55×W19×D19cm、檜（表紙も）
※図版はいずれも、©Yoshitoshi Kanemaki | FUMA Contemporary Tokyo

★《玉響カプリス》2021年、H190×W82×D82cm、榧

美も醜もあわせ持つ
矛盾した存在として、
人間の本質を捉えたい

★《ユフレ・カプリス》2019年、H55×W25×D24cm、檜・マホガニー

★《寿（コトホギ）・カプリス》2015年、H204×W81×D87cm、楠

★《メグリ・カプリス》2017年、H72.5×W26×D25cm、楠

★《ささめきイレゾリュート》2016年、
H45 x 10.4 x 7.2cm、楠

★《振感アナグリフ》2009年、
H65×W19×D19cm、楠

★《揺蕩マルチプル》2017年、
H72×W21×D24cm、楠

★《輪唱ジオメトリ》2020年、H75×W25.5×D25.5cm、檜

★《復唱ジオメトリ》2020年、H74×W24×D24cm、桂・楠

★《ユラギ・カプリス》2017年、H67×W30×D15cm、檜

★《玉響カプリス》(部分)

人のアンビバレンスな心の揺らぎを、多面多臂像として表現

浪人時代に迷い考え、「木彫」を志す

金巻芳俊の彫刻は凄い。顔がいくつも連なっている。それによって、どこにもない、不思議な世界を生み出している。いったいどういうものを背景に、この奇妙な彫刻は生まれたのだろうか。

金巻の世代は第二次ベビーブーム、団塊ジュニア、就職氷河期世代といわれる。そのため、幼いころから学習塾やスポーツ、習いごとに通い、常に競争し、優劣を競いあっていた。両親は、期待を込めてあらゆる可能性を試してほしかったのだろう。そんななかで、唯一競争もなく自分自身を表現できる場所として、地元の絵画教室が救いになっていた。新しい素材や表現を自由に試すことのできる絵画教室。その先生夫妻との出会いも、美術家を志すうえで、金巻には、大きな影響があった。

当時、世はバブル期で高校は都内のデザイン科に進学し、見るものすべてが新しく眩しく見えていた。好景気の影響で自動車、家電も実験的な先進デザインが多く見られ、高校当時はその時代の華やかさに憧れ、プロダクトデザインのデザイナーを目指していた。そして進路決定時、青田刈りのような就職話を断って美大受験を決めた。

ところが、蓋を開けてみると、団塊ジュニア世代の美大受験は熾烈を極めていた。東京藝大なら三浪四浪当たり前という時代。美大浪人を数年続けて、「デザインとは？」「美術とは？」「表現とは？」「自分とは？」「生きていくとは？」と迷い考える時間をたっぷり経て、ようやく多摩美術大学の彫刻科に進んだ。そして、幼いころから馴染みの深かった、樹木を使った彫刻「木彫」を志す。

だが、多摩美術大学を卒業し、「さあ！独り立ち」と勇んでみても、金なし経験なし場所なし、コネなし実績なし。アルバイトで午前中パンの配達をしながら、午後にようやく借りたアトリエで制作という生活をコツコツ続けて、制作と生活のリズムを数年かけてつくった。

制作環境が整うと次は展示・発表・個展だが、現在のように新人作家を企画画廊が扱うことはなかった時代で、初個展は銀座の貸画廊。団体展、グループ展、個展、レジデンスなどの発表を年に何度か継続した。そして、初個展と同じ画廊での数度目の個展中にFUMA Contemporary Tokyo|文京アートの夫馬社長と出会い、両翼両輪の関係性を築き上げて、現在に至る。

木には人間と同じぬくもりを感じる

金巻は、木彫の基本的な技術を多摩美術大学の木彫専攻時代に二年間学んだ。仏像彫刻の流れを汲む日本古来の伝統的な木彫技法で、造形技法のみならず、道具の使用方法や手入れ、木材の知識、大きな作品の梱包や移動などをみっちり学ぶ。そして、彫刻家として作家活動を始めてからは、人の作品から学び実践する繰り返しと、自分の環境に合わせた方法を取り入れながら、ほぼ独学で制作している。そのため、伝統や形式に縛られない身軽さがある一方、何にも属していない根無し草のような感覚があるという。

金巻は、幼少のころから、「木と共に育ってきた」と実感している。実家の裏が雑木林だったので、そこで木登りをしたり竹とんぼを作ったり、遊びの中にいつも木がある環境だった。国土の約三分の二が森林といわれ、暮らしにも文化にも木が浸透しており、木への信仰心が強く根づいている日本だからこそ、素材として木を選んだのは必然だったという。

そして、木彫の表現活動を続けている理由は、木はあらゆる素材の中でも、最も人間の体温に近い温度を感じるからだ。木は人のように水と脂を有し、成長し病気にもかかるので、「人間そのもの」を表

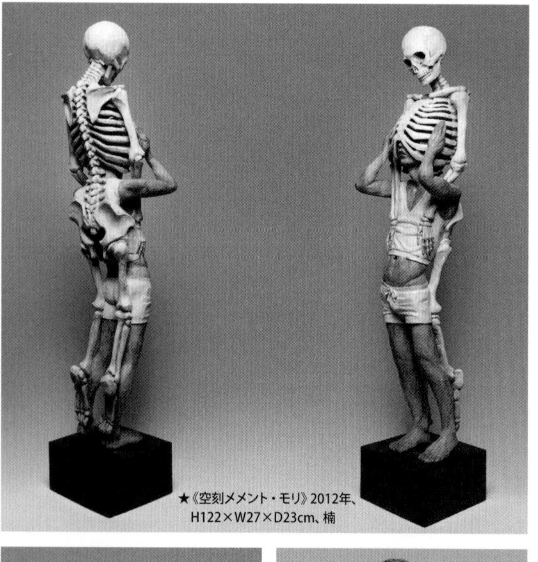

★《空刻メメント・モリ》2012年、H122×W27×D23cm、楠

★《輪想カルマート》2013年、H23×W19×D17cm、テラコッタ

★《春巡ヴァニタス》2016年、H62×W20×D20cm、楠

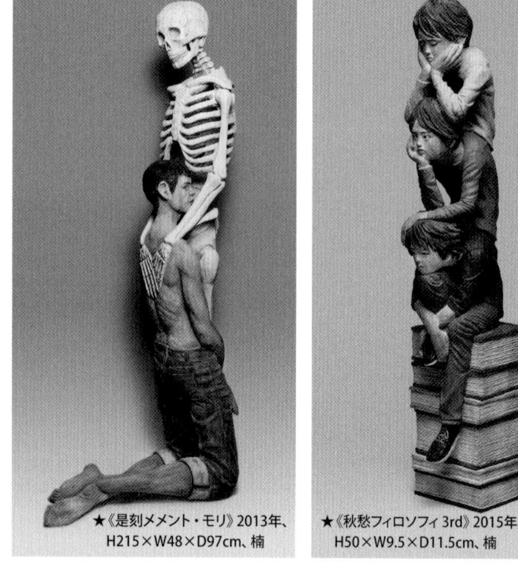

★《是刻メメント・モリ》2013年、H215×W48×D97cm、楠

★《秋愁フィロソフィ 3rd》2015年、H50×W9.5×D11.5cm、楠

★《輪想カルマート 2nd》2016年、H56×W42×D36cm、楠

現するうえで、これ以上適した素材はないと、彼は考えている。

また、金巻は「木学 XYLOLOGY」という展覧会のキュレーションも行った。それは、「なぜいま木を彫るのか？」「木彫はどこに向かうのか？」という問いを作家自らに、また鑑賞者に投げかける企画で、国内外で活躍する中堅作家から新人作家の最新作まで、「木彫のいま」を、この時代の空気もあわせて届けようとしたものだ。

歴史も伝統もあり、いわば日本のお家芸ともいえる「木彫」。だが、現代木彫作家が一堂に介して発表できる機会はそれまでほとんどなかった。それは画廊間のしがらみ、美術系大学間の障壁、作品発表の領域の分断、古典から現代まで通史としての木彫を専門に語ることのできる研究者の不在、展覧会にかかる多大な手間・コスト、デリケートな素材ゆえの保存の難しさなど、さまざまな理由が絡み合い、実現に至らなかったのかも知れないと考える。

そのため、それらを補完し、伝統を継承しつつ、よりよく更新させたいという気持ちで開催した。その展覧会から三年過ぎて、状況も少しずつ変化している。現在は、木彫作家が実っている時期だと思っている。その活況を途絶えさせないためにも、然るべき場所とタイミングでまたいつか企画していきたいし、認識を深めてほしいと、金巻は語る。

人の抱えるアンビバレンスな状態を可視化

金巻は、アンビバレンスというコンセプトで作品制作をしている。迷いや矛盾、二面性、多面性は、現代人ならばだれしもが抱える問題であり、自身が彫刻を表現するにあたっても、いくつもの迷いや揺らぎがあるが、その表出が「アンビバレンス」というコンセプトに集約されているという。

金巻は、もともと、かたちとカタチが組み合わさって変容していく「さま」に興味があり、かたちの交差、反復、重層、歪曲、分断などを用いて心情を表す傾向が、自分の作品にも強く反映されているとする。そして、みんなが抱えている「アンビバレンス」な状態を可視化すると、このような姿に見えるというのが、彼からの提案でもある。

金巻は、人間像を表現するとき、その形象的な美の追求では不十分と考えている。美も醜もあわせ持つ矛盾した存在として、人間の本質を捉えたいと思っている。そうして、相反する迷い、喜怒哀楽の無限ループ、だれしもが感じるアンビバレンスな心の揺らぎを、多面多臂像として表現している。金巻には人間がそう見える瞬間があるのだ

彫刻とフィギュア、人形

金巻は、造形技術の部分では、具象彫刻もフィギュア、人形もそれほどの差異はなくなったと感じている。どちらが優れているとか劣っているという問題でもない。ただ、向いている方向が違うと思っている。フィギュアと人形は、人間の欲望や愛情の発露のように思え、具象彫刻はそれを産み出すことによって、訴えたいテーマやメッセージがより濃く出る。ただ、近年では、彫刻ともフィギュアとも受け取れるようなハイブリッド型の作品も多くみられる。素材や技法や発表方法を超えて、これらはますますボーダーレスな存在になっていく気がしていると、金巻は語る。

筆者は近年、改めて木彫の人物像に注目している。きわめて若いころは、平櫛田中の彫刻に惹かれ、またアイヌの彫刻家、砂澤ビッキにも注目していたが、新たな動きを感じたのは、やはり舟越桂である。九〇年代にある雑誌で彼にインタビューしたが、当時は、父舟越保武の家の前の物置小屋がアトリエだった。天童荒太の『永遠の仔』の装丁などで広く知られるちょっと前のことだ。当時も、舟越の作品に対して、彫刻か人形かといった議論があったが、彼の影響もあって、新たな挑戦をする彫刻家も増えてきたと考えている。

他方、フィギュアも村上隆らによってハイアート的な商品価値を得ており、また、四谷シモンらが切り開いたことによる、球体関節人形の作家の増加などで、彫刻と人形とフィギュアの違いがより不明瞭になっている。

近年では筆者は、棚田康司に注目した。岡本太郎現代芸術賞で評価され、ミヅマアートギャラリーが扱い、やがて練馬区立美術館で個展が開催される

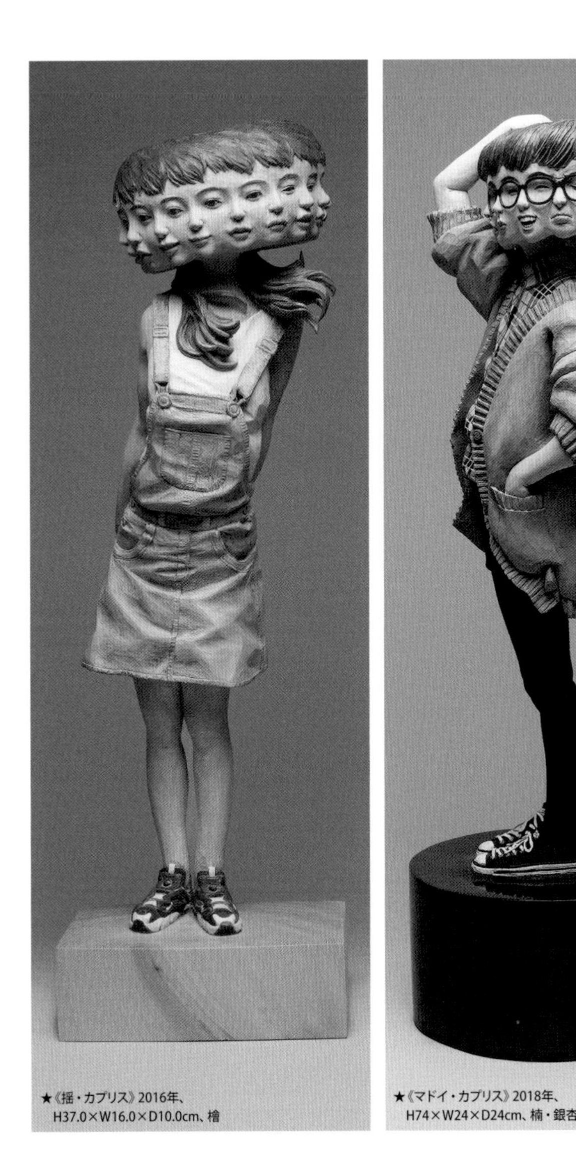

★《揺・カプリス》2016年、H37.0×W16.0×D10.0cm、檜

★《マドイ・カプリス》2018年、H74×W24×D24cm、楠・銀杏

★《タユタ・カプリス》2014年、H123×W39.5×D39.5cm、楠

★《円環カプリス》2018年、H110×W50×D57cm、楠

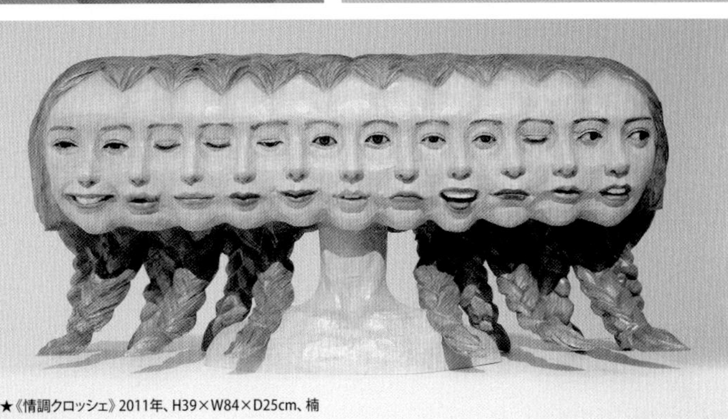

★《情調クロッシェ》2011年、H39×W84×D25cm、楠

に至った。さらに、成山画廊の池島康輔も伝統技術を生かし、個性的な発想で作品を生み出している。本誌ではこれまで、この二人と、砂澤ビッキの神奈川県立近代美術館葉山館での大規模な個展を取り上げた。他にも気になる作家が何人かいる。

　筆者にとっては、フィギュアの一つの魅力は、プラスティック的な素材から生み出される人間のリアリティ、というそのギャップだととらえている。また、人形は、特に球体関節人形の生み出す幻想性とリアルの狭間といえるだろうか。それに対して、彫刻、特に木彫の魅力は、やはり木の質感、温かさ、生命感、そして、彫り跡、つまり鑿や彫刻刀の生み出す立体的な線と造形だろう。そこにはつくる人の手を感じとることができる。フィギュア、人形、彫刻のいずれも身体のリアルに近づくのだが、木彫はよりつくり手の身体を強く感じるのだ。

　これらの点からいえば、金巻の作品の魅力は、木彫で、写実的な技術を生かしながら、フィギュアでは生み出せない、独特の幻視的世界を生み出していることにあるといえる。それは単なる幻視ではなく、ものの認識に関わる感覚だ。

多数の顔が醸す人の多面性

　金巻が描く多数の顔は、衝撃的だ。横に顔がいくつもつながり、表情が少しずつ変わっていく。それはアニメーションのコマの変化のようでもある。これは、イタリア未来派のジャコモ・バッラの『綱で引かれた犬のダイナミズム』（一九一二年）やデュシャンの『階段を降りる裸体No.2』（同年）を思い起こさせる。つまり、未来派やキュビスムが生み出した多面的な視点との共通点があるのだが、絵画ではなく立体であるゆえに、境界がはっきりしてリアルだ。

また、横に並ぶだけでなく、縦横に六つ、あるいは横にもう一つの顔、そして、二重写しになったようなものもある。その顔は、他の人物を重ねるのではなく、常に同一人物だ。同じ少年が三人縦に重なったもの、そして青年が自らの骸骨と思われるものに抱かれたり、それをかぶったような作品もある。

　金巻自身は、この顔について、「ごく僅かな時間の中で揺れ動く相反した想い。見えている感情、心の奥に隠してる感情」と述べているが、文字どおり、その「多面性」が人を惹きつける。もちろんそこには、金巻のいう「アンビバレンス」がたち現れる。

　例えば、十一面観音は、さまざまな感情を示す十一の表情をしているが、金巻の作品の多面は、それとは異なり、変化する過程を示すものだ。京都・西往寺の『宝誌和尚立像』（十一世紀）は、和尚（僧）の顔が割れて中からもう一つの顔（観音）が生まれるのだが、むしろ、このイメージに近いかもしれない。

　金巻が影響を受けたのは、美術家より作品だという。そして、ミケランジェロ・ブオナローティ『ロンダニーニのピエタ』（一五五二〜六四年）、大阪・観心寺の『如意輪観音像』（九世紀）、ヤコポ・ダ・ポントルモ『十字架降架』（一五二五〜二八年）をあげた。

　『ロンダニーニのピエタ』はミケランジェロの未完の遺作で、大理石の石彫。未完のため完全な形を獲得してない造形が独特の雰囲気を生み出し、また、キリストを抱えるマリアが、キリストと一体化したように見える。金巻の肩にもう一人の自分がいる作品、骸骨と青年の作品が思い起こされる。『如意輪観音』は六臂像、すなわち手（腕）が六本あり、金巻の多面とつながるところがある。ポントルモの『十字架降架』は聖母マリアとキリストの間に、マグダラのマリアなど多くの人物の頭と顔が並ぶ。さらに金巻は、パブロ・ピカソ、ジョルジュ・ブラックによる〈分析的キュビスム〉などをあげる。つまり、前述のように、未来派から立体派前期への流れをふまえているのだ。

　また、美術以外では、富野由悠季監督の機動戦士ガンダムシリーズや八〇年代のリアルロボットアニメシリーズで、その世界観、創作のバイタリティ、人間の描き方などに強く影響を受けたという。

　金巻は、今後も、これまでどおり、小品も大作も一点一点自身の代表作にするようなつもりで取り組んでいくという。そして、世の中が落ち着いて、「このご時世ではありますが、よろしければ足をお運びください」といった枕詞なしに、堂々と国内外の展覧会に人を呼べる時代が戻ってくることを願っている、と結んだ。

（志賀信夫）

★《Blindness》2020年、1000×1000mm、Oil on canvas

KURASAKI Ryoki

倉崎　稜希

◉文＝志賀信夫

★《Blindness》2020年、652×530mm、Oil on canvas

★《Blindness》2020年、727×606mm、Oil on canvas

★《Blindness》2020年、727×606mm、Oil on canvas

肖像の目を焼き、「見る」ことを問いかけ、
生死の身体性を浮き彫りにする

★《Blindness》2020年、1000×803mm、Oil on canvas

★《Blindness》2020年、273×273mm、Oil on canvas

★《Blindness》2020年、652×530mm、Oil on canvas

★《Blindness》2020年、652×530mm、Oil on canvas

★《melt》2020年、183×145×30mm、
wax, acrylic, oil paint

★《melt》2020年、183×145×30mm、
wax, acrylic, oil paint

★《melt》2020年、286×237×50mm、wax, acrylic, oil paint

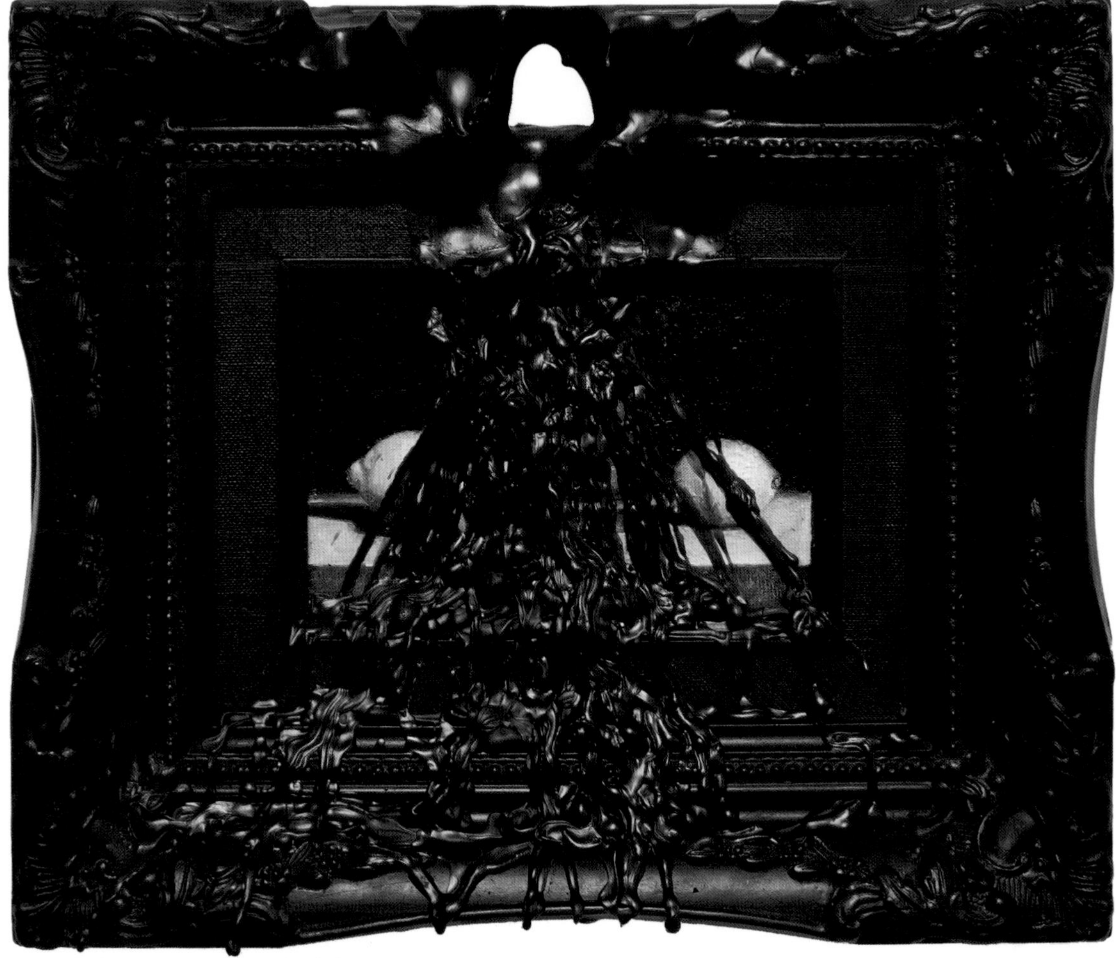

★《melt》2020年、286×237×50mm、wax, acrylic, oil paint

火で焼き、蝋を垂らすことで表現される死生観

★《RemaIn》2020年、1455×1120mm、wax, acrylic, oil paint

イラストレーションから絵画へ

　倉崎稜希の作品は、インパクトがある。それは、眼がなく、しかも焼かれているからだ。一見、呪いの絵のような禍々しさを感じる人もいるだろう。盲いることの恐怖を体感する人もいるかもしれない。いずれにせよ、強い心理的な何かを見る者に感じさせる。この絵を描く倉崎は、どのような美術家なのか。

　倉崎は、もともと絵を描いたり物をつくったりするのが好きな子どもだった。その流れから、絵を描くことを仕事にしたいと考えたときに、最初に進もうとしたのが、イラストレーションの道だった。そして、九州デザイナー学院を卒業し、それを仕事にしていたが、クライアントとの擦り合わせなどを重ねていくにつれて、イラストレーションと自分の表現したい作風や考えは相性が悪いと考えるようになった。そのイラストレーションを描いていたときに影響を受けた、興味があったのは、デイビット・ダウントン（一九五九年～）などのファッションイラストだった。そんなときに、現代美術に出会い、この世界ならと思って、進んできたという。

　それは、二〇一七年、福岡アジア美術館の「サンシャワー」展を見たことだった。特定の作品に感動したのではなく、それまで、現代美術にまったく触れてこなかったため、このような世界があるのだ、と衝撃を受け、変わるきっかけになったのだ。

　倉崎は、九州デザイナー学院では、イラストレーションやデザインを学んだが、現在の油絵や立体作品などの技法は、自分自身で本や、動画、インターネットなどから情報を得て、実験しつつ勉強した。だが、描いた絵画の眼を焼くということは、どこから発想したのだろうか。

見ることと、見えていること

　倉崎は、生まれる前に亡くなった従兄弟から「希」の文字をとって名付けられ、その子の生まれ変わりだといって育てられた。それが、倉崎の死生観を形づくった。そして、過去に自殺の現場を見た体験が二度もあった。中学・高校で自殺を目撃したが、そのとき、野次馬的に騒ぐ人や写真を撮る人にショックを受けた。これらが背景にあって、死と生を取り巻く環境に対してのメッセージとして、見るということから、「目」に着目したという。

　倉崎によれば、それは、死を見つめる目というものが、多様、さまざまであるということだ。死に畏怖や畏敬を抱くよりも、時にはそれを蹂躙するような視線があるとする。彼は、目と見るということについて、次のように述べる。

　外の世界を知覚するとき、その役割を果たしているのは網膜ではなく、脳であるといわれている。センサーに写ったもののうち、何を認識するかは脳が処理しているということだ。私たちは見えていないのではなく、意図して見ないようにしている、と倉崎はいう。それをふまえて、内田樹の本から、次のようなたとえ話をあげる。

　「親との会話で、世間話から説教に変わりそうになる瞬間に、不機嫌になったりうわのそらになったりする。これは、聞きたくない情報になった瞬間に、無意識に聞かないよう努力するからということ」

　そして、倉崎は、「見えていない」、「知らない」というのは、怠惰ではなく、勤勉の証拠。世界の見え方などは、意外と、こういうことを自覚するだけでも変わると思っているという。

火が持つさまざまな暗喩

　倉崎が目を焼くことに至ったのは、火を作品に用いたいと思ったのがきっかけだった。彼は、こう考えている。

　火はしばしば生命に喩えられてきた。そ

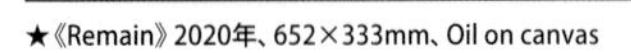
★《Remain》2020年、652×333mm、Oil on canvas

★《Remain》2020年、1167×727mm、Oil on canvas

れは、炎の「燃料を消費しつつ燃える」ことが、人の「摂食しつつ活動する」ことに似ていることや、「火が消える」ことが「死」を連想させるなど、さまざまな関係性があるためだ。

火は人類と密接な関係で、太古から世界各地でさまざまな理解をされてきた。倉崎は、その普遍的なものと普遍的な物をかけ合わせることにより、どの時代、地域の人たちが見ても、さまざまな解釈ができるように意識している。火と人間のポートレイトをかけ合わせる作品からは、例えば、火と魂、燃焼と呼吸、燃え広がる姿、痕跡と争い、火葬や弔いなども受け取れるとする。

他方、彼は、近年、火が私たちと距離が遠くなっていることに違和感を抱いている。IHコンロなどだと、火を実際に見る機会もほとんどない。これは死に対する違和感と同じ。そのことも作品によく火を用いる理由だという。そう考えて、彼は、火を作品の中に取り込むことにより、描かれたモチーフのリアリティさへのアプローチを試みるのだ。

「死」の身体性

これらはいずれも、前に述べた、倉崎の死生観に関わっている。それが倉崎自身の核であり、作品の核でもある。そのため、これを今後も考え続け、歳を追うごとにアップデートし、また違う作品が生まれていけばいいと思っている。

彼の作品には、「身体と弔い」(火葬)というテーマで、火とキャンバスの関係を、魂と骨肉の関係で表現した作品がある。描写以外の方法で、物質としてのポートレイトのリアリティを表現したいという取り組みだ。これは、今後も発展させたいコンセプトなので、もう少し面白い表現ができないかと模索しているという。

これらをふまえて考えられることは、私たちは死と生にどう向き合うかということだ。倉崎が目を焼いた絵画、ポートレイトからは、目を焼かれる身体的な感覚、見えない恐怖、そして、見ること、見えないこと、ものの認識に対する問いかけが生まれる。それは、死は観念的なものではなく、身体的なものだということを改めて、感じさせる。

肖像の抽象化・象徴化

絵画のごく一部を焼くという行為は、瀧口修造を思い出させる。詩人、批評家である瀧口は、アンドレ・ブルトンやマルセル・デュシャンとの交流、シュルレアリスムの紹介や日本の現代美術家たちの発掘で知られるが、彼自身美術家として、デカルコマニー作品など、シュルレアリスムなどの技法によって、独自の世界を構築している。そのなかに、煙草の火などで画面に小さな穴を開けたものがある。抽象といえる彼の作品にリアルな感触を与え、そしてミニマルな感覚に儀式性や身体性を付与している。

倉崎の取り上げる西洋の偉人の肖像画のようなモチーフは、それを身近でリアルな人間とは一歩距離を置くことで、絵画という枠組みによる、一種の抽象化、象徴化をはかっているとも考えられる。それは、骸骨の目を焼くこと、そして、顔自体を焼き、空白にキャンバスの枠組みが黒い十字のように見えることでも現れている。普通の日本人など、身近な人と思える姿を焼けば、場合によっては、リアルな呪いの絵に見えてしまうからだ。抽象化されているからこそ、見る者により深い思索を可能にする。

自然に対する畏怖

それでは、倉崎はどういう美術家から影響を受けたのだろうか。その問いに対して、福岡アジア美術館に収蔵されている、インド出身の英国で活動するアニッシュ・カプーア(一九五四年〜)の作品『虚ろなる母』(一九八九〜九〇年)をあげた。彼は、この

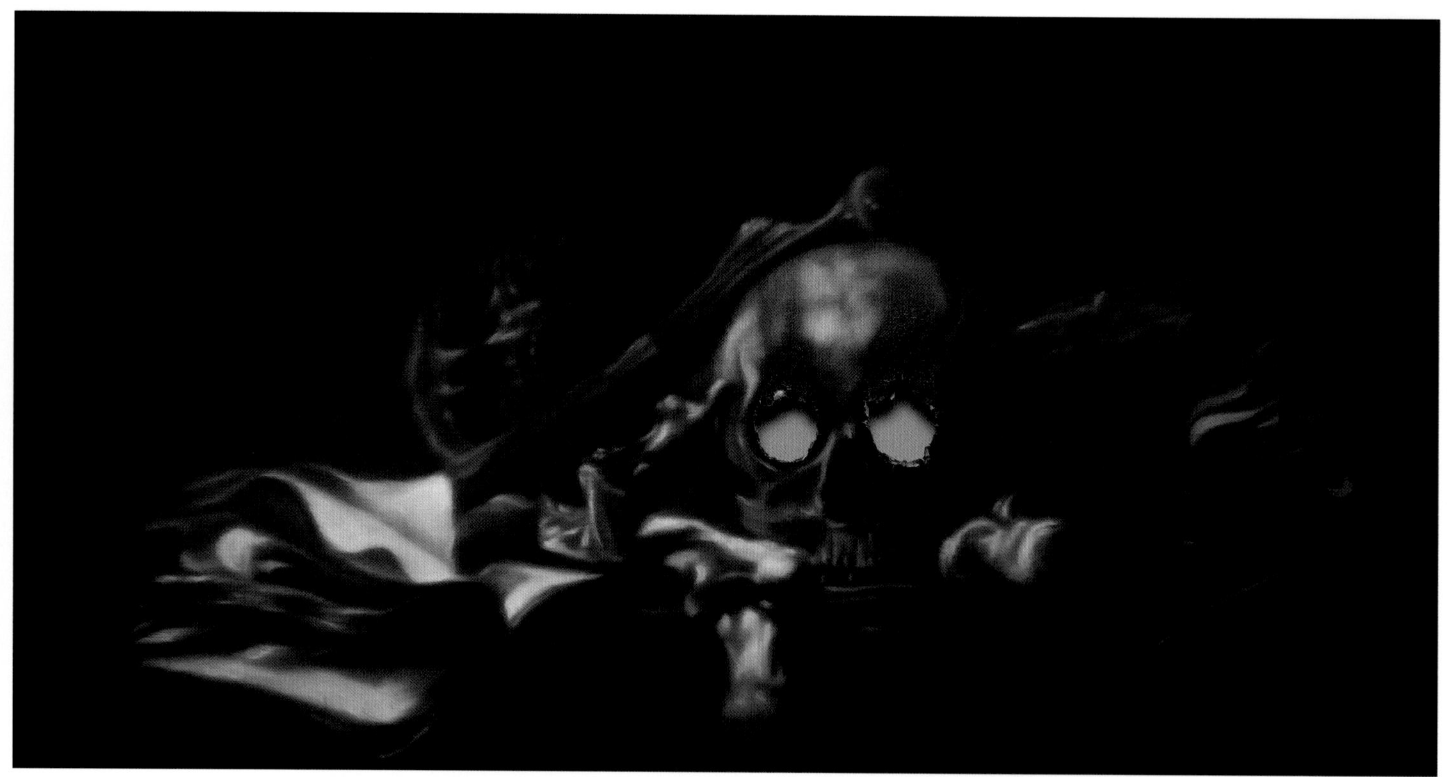

★《Blindness》2020年、333×652mm、Oil on canvas

★《Blindness》2020年、652×530mm、Oil on canvas

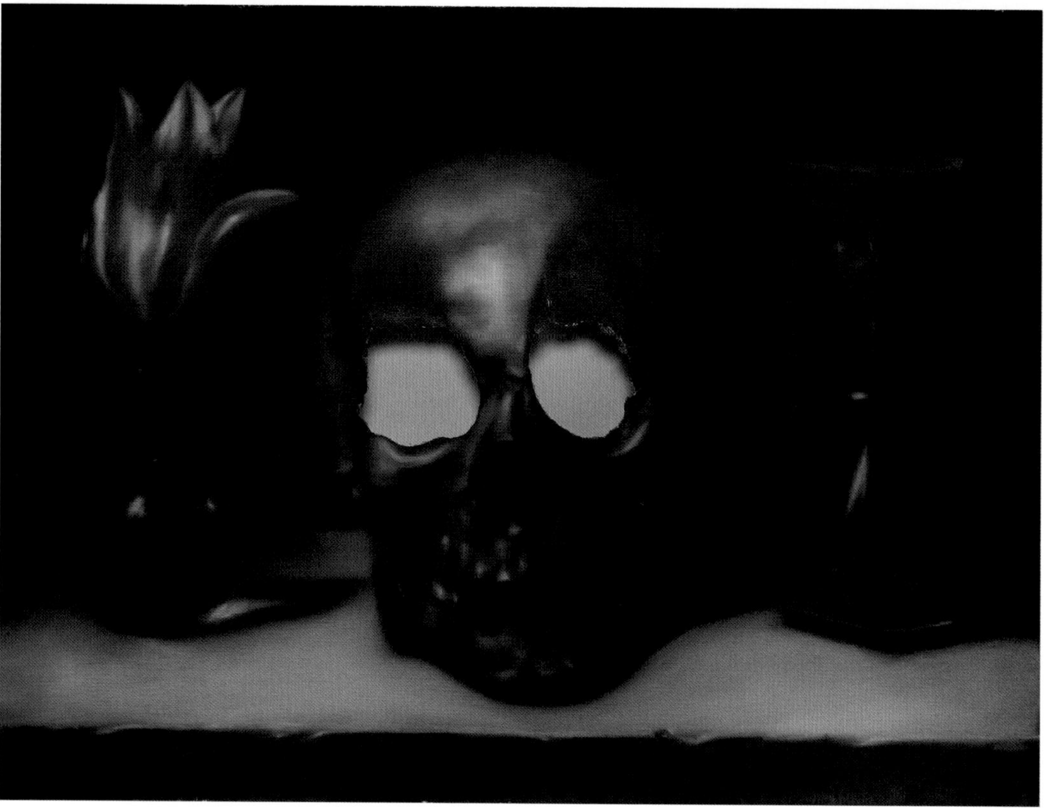

作品について、次のように述べている。

「大きな卵の半分の形をした立体作品で、光を反射しない青い塗料が塗られており、その作品を覗き込むと、作品と自分の距離感が曖昧になり、中に引きずり込まれるような感覚に陥る。自分は、海を見るのがあまり好きではないが、それはこの作品と同じ感覚に陥るからだ。自然に対して感じる畏怖と同じ感覚を作品で鑑賞者に与える。この作品にはそこまでのパワーがあり、自分もそんな作品を作りたいと思わずにいられない」

カプーアの作品は、金沢二十一世紀美術館にもある。それは、クールベの作品からつけた『世界の起源』（二〇〇四年）だが、斜めのコンクリートの壁に巨大な七メートルの黒い楕円が描かれている。実際は青で描かれたこの円を見ていると、その大きさが見る者を引き込み、知らない世界を見せてくれる。

また、美術以外で影響を受けたアーティストについては、映画監督のアンドレイ・タルコフスキーと押井守をあげた。そして、思想と世界観、美しさに重きを置いて作品づくりをする人たちが比較的好きだという。

これらからは、自然と大いなるものへの志向が感じられる。目を焼くという一つの行為が、見ること、そして人の視線への問いかけであると同時に、死と生を象徴する。そうやって、普遍性を獲得することで、何か大いなるものへ近づくということを、倉崎は意識しているのだろう。

倉崎は、二〇二〇年から、蝋を使った新シリーズ「mortalty」シリーズを制作している。それらを使って、空間にもアプローチを広げたいと考えている。蝋は、ヨーゼフ・ボイスを例にとるまでもなく、身体性、そして一種の普遍性を感じさせる素材であり、具象と抽象の間をつなぐ素材でもあると、筆者には思える。そのため、倉崎は、新たな素材との出会いで、さらに展開を広げていくだろうと、確信している。

（志賀信夫）

★《melt》2020年、630×540×80mm、wax, acrylic, oil paint

●文＝沙月樹京／写真＝田中流

HIJIKATA Haruna

泥方 陽菜

★（上）《lu-yu》2021年、ミスクトメディア
（下）《lu-myu》2021年、ミスクトメディア

人を見つめることのない、
霊的な世界に生きる存在

★（右）《lu-la》2020年、ミスクトメディア
（左）《lu-lu》2020年、ミスクトメディア

★《Enon》2021年、ミスクトメディア

★《Eris》2021年、ミスクトメディア

★《Ymir》2021年、ミスクトメディア

★《Luna》2020年、ミスクトメディア

★《Suu》2021年、ミスクトメディア

★《lu-qu》2020年、ミスクトメディア

儚く息づく、聖なる超自然としての人形

人形作品ではふつう、ガラスなどで作られた、光を反射する瞳を入れることが多い。人物の肖像写真と同じで、瞳が光を放つことで、生気が生まれるからだ。

しかし泥方陽菜は、その多くの作品においてガラス等の瞳を使用していない。手で描き込まれた瞳は、光を放って観る者を射ることはなく、弱々しげに虚空を見つめている。球体関節人形として作られてはいるが、一般的に人形に求められる魅力とは、別の地平に泥方の人形はある。

そう、人形は人間の形代として作られるものだが、泥方の場合はどうやらそうではないのだ。今回の個展タイトル「pneuma（プネウマ）」は、聖なる呼吸、精霊、超自然的な存在といったものを指す古代ギリシア語なのだという。会場を飾ったのは「5人の無性別の子」「1週間に宿る小さな神様」の2つのシリーズ。個展タイトルやそのシリーズ名からうかがえるように、これらの作品は人の形代ではなく霊的な存在なのだ。

「私の内に散らばる聖なるものと、私の外で見つけた聖なる時を集めたら、人に似た形になった」（泥方）。

だからその存在は光を放たない瞳を持っているのだろう。霊的な聖なる世界に生きているがゆえに、人を乞うような視線は必要とされない。それがその瞳に表象されているのではないか。

展示会場は、天井から白い布が垂らされ、また白い布が人形を包み、原初の森にさまよい込んだ雰囲気が漂っていた。人形はその中にあって、素朴で根源的で、「苦しみのないまっさらな体」（泥方）を持ち、儚く息づいていた。どこか遠い彼方に思いを馳せながら。

（沙月樹京）

★展示風景

※泥方陽菜 人形展「pneuma」は、2021年3月20日～28日に、東京・銀座のヴァニラ画廊にて開催された。

◉文＝沙月樹京

★《君の住み処》2019年、540×460mm、インク・ペン・シリウス画用紙

YAMAMURA Mayuko

山村　まゆ子

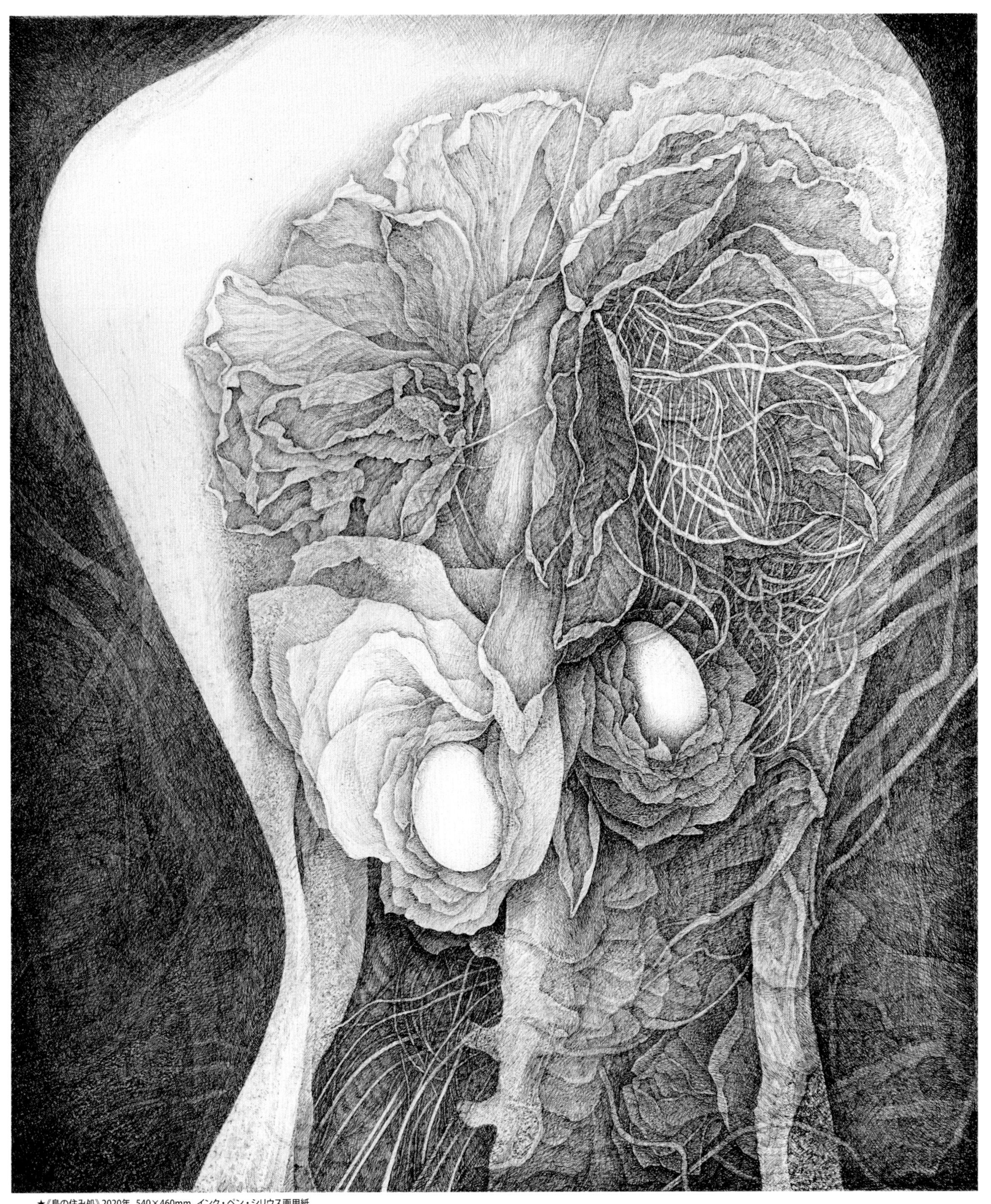

★《鳥の住み処》2020年、540×460mm、インク・ペン・シリウス画用紙

からっぽな私の体の中に鳥は巣を作り、
卵を残して飛び立って行った

★《鳥のかえる場所》2021年、543×385mm、インク・ペン・シリウス画用紙

★《そしてどこかへ》2021年、917×730mm、インク・ペン・シリウス画用紙

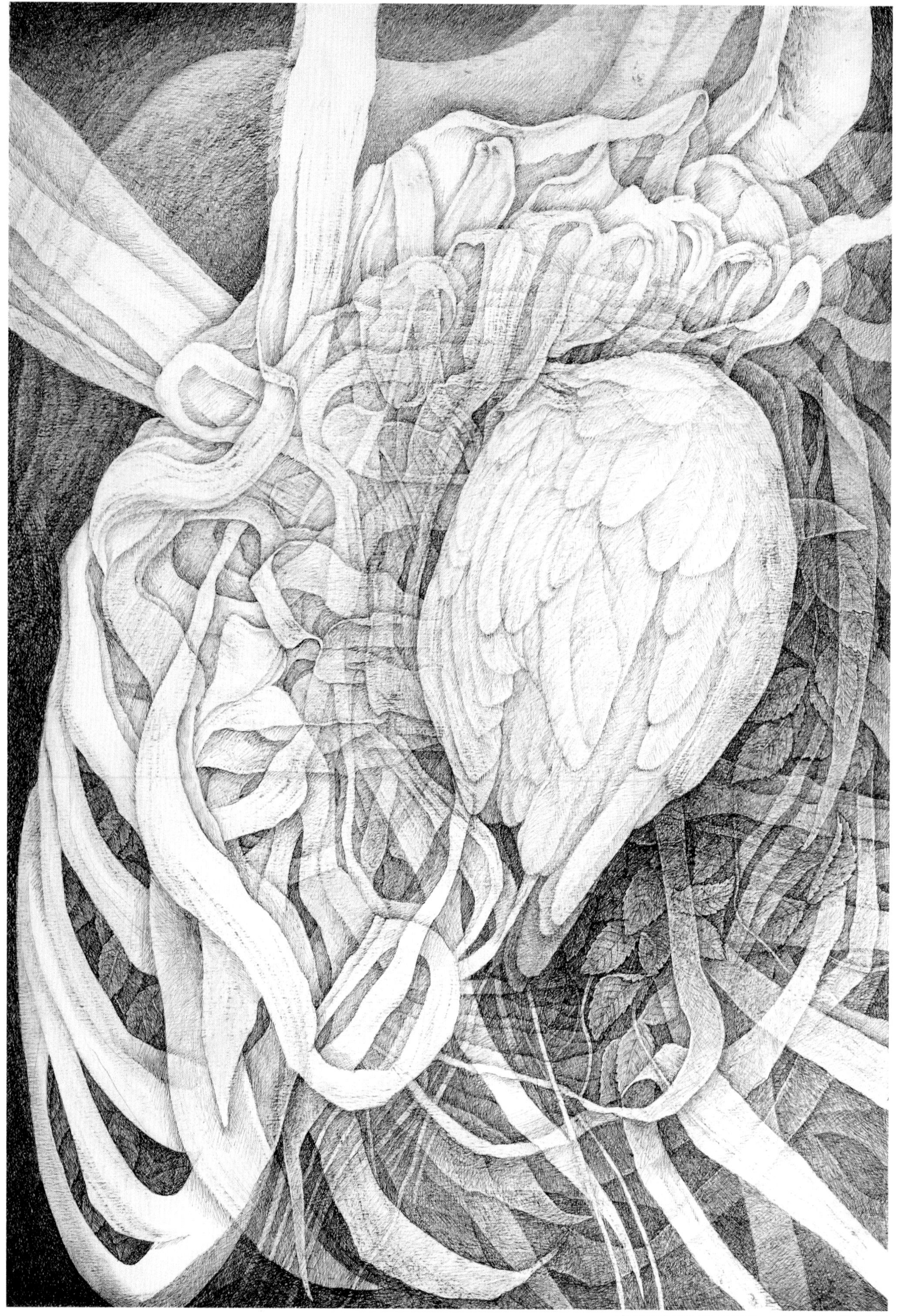

★《こころのかたち》2020年、540×380mm、インク・ペン・シリウス画用紙

★《君はここにいる》2018年、528×382mm、インク・ペン・シリウス画用紙

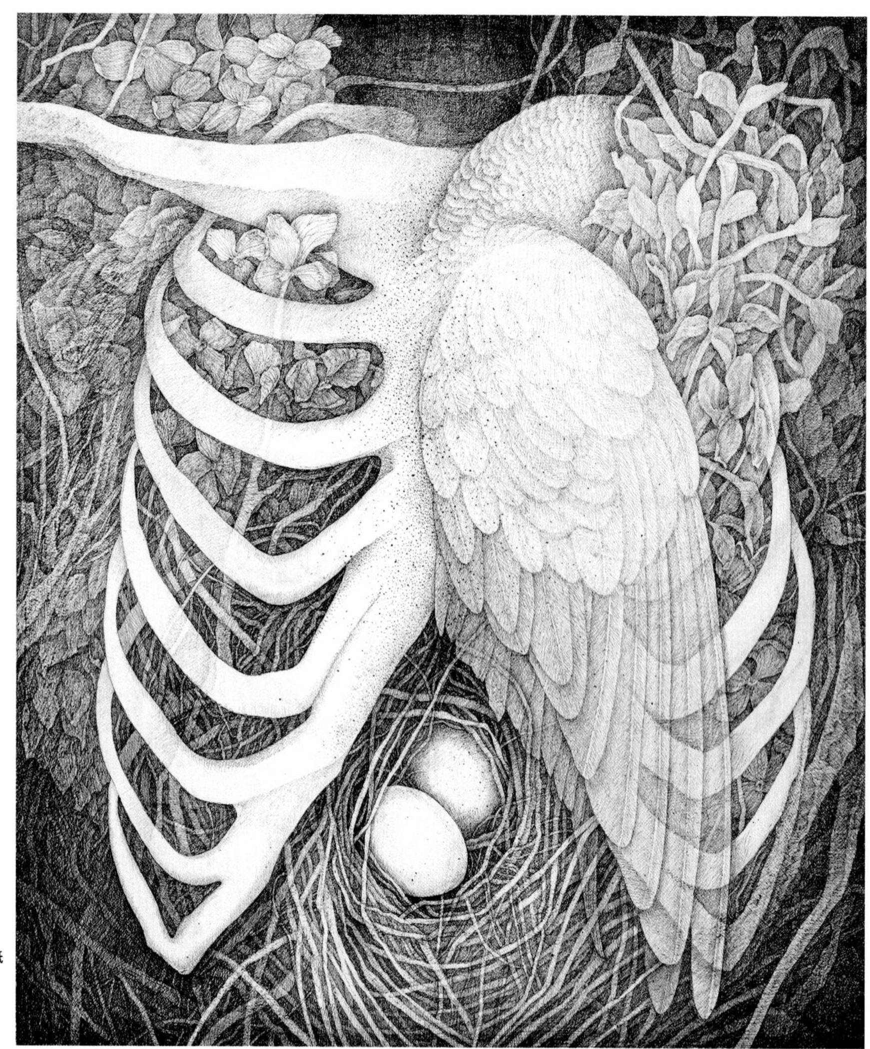

★《私のなかの鳥Ⅱ》
2018年、540×460mm、
インク・ペン・シリウス画用紙

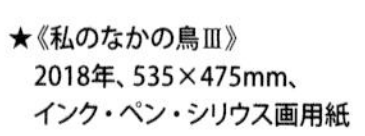
★《私のなかの鳥Ⅲ》
2018年、535×475mm、
インク・ペン・シリウス画用紙

★《翼の権利》2017年、219×161mm、インク・ペン・シリウス画用紙

★《のこされたものⅡ》2017年、219×161mm、インク・ペン・シリウス画用紙

★《永遠をあげたいとか》2018年、522×370mm、インク・ペン・シリウス画用紙

★《いつか死んでしまうものを愛するのが》2018年、535×390mm、インク・ペン・シリウス画用紙

★《花を抱くようにⅡ》2017年、219×161mm、インク・ペン・シリウス画用紙

★《花を抱くようにⅠ》2017年、219×161mm、インク・ペン・シリウス画用紙

★《花を抱くようにⅤ》2017年、219×161mm、インク・ペン・シリウス画用紙

体の中に残された卵が孵り、体が何かに変化することを願う

そこに卵を見つけることができるだろう。描かれているのは鳥の巣か？ いや、どこか違う。卵を包み込むように、腕のようなものや肋骨などの骨のようなものが描かれていることもある。そこは体の内部なのだろうか。

山村まゆ子は、「私の中はからっぽ」なのだという。体に対する違和感、どうしてこのような形をしているのかという疑問。「私は想像する。この体が固有の形を失い別の何かに変化する様を。分解され、土や、植物や、鳥や、水、自分以外の何かへ、移り変わるのを」――そのような変化を願っているのだという。

その「からっぽ」な空洞に「鳥を飼っていた」。やがて鳥は飛び立って行ったが、卵だけが残された。「孵るのか孵らないのか分からない卵」を抱え続ける。やがて卵が孵り、何かが変わっていくことを期待して。

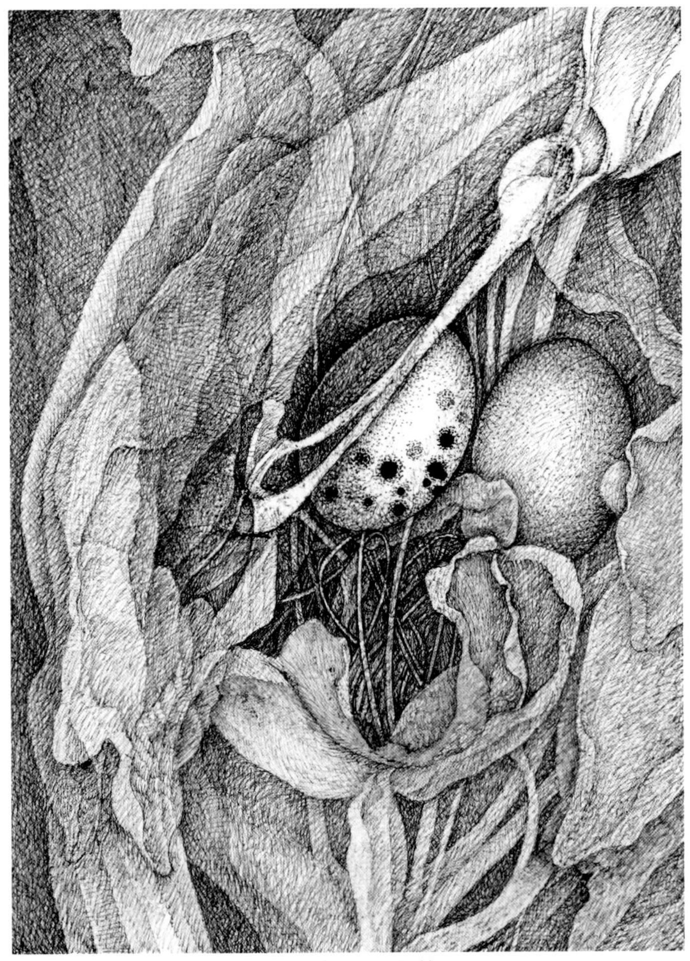

★《花を抱くようにⅣ》2017年、219×160mm、インク・ペン・シリウス画用紙

★《花を抱くようにⅢ》2017年、218×159mm、インク・ペン・シリウス画用紙

★《はばたき以前》2016年、916×736mm、インク・ペン・シリウス画用紙

その思いが、絵として描かれ続けているのである。

つまりそこでは、「私」という意識と「私の体」は乖離している。だからそこに描かれている鳥の巣と卵は、「私の中のからっぽ」にあるのだとしても、おそらく「私」の中にはなく、「私」は離れた位置からその光景を俯瞰している。

鑑賞者は絵を見ながら、親鳥の不在を不思議に思うかもしれない。卵をあたたかく見守る親鳥の視線は、この画面からは感じられない。見るものの不在が、ややもすると鑑賞者を不安にさせる。

そしてその親鳥の不在は、ある意味、「私」の不在の換喩でもあろう。また、孵ろうとしない卵は、未来の不在をも意味する。

卵を見つめ続ける「私」。

鑑賞者はその視線をなぞり続けながら、夢想の世界を彷徨い続ける。

（沙月樹京）

※山村まゆ子 個展「―鳥のかえる場所―」は、2021年2月18日〜28日に、東京・曳舟のgallery hydrangeaにて開催された。

★《心の隙間を埋めて》2020年、297 x 210mm、鉛筆

NEBASHI Yoichi

根橋　洋一

●文＝沙月樹京

★（左頁）《妖装》2020年、297 x 210mm、鉛筆

★《宴の後》2019年、297 x 210mm、鉛筆

★《擬態》2018年、297 x 210mm、鉛筆

Y.N

さまざまな視線が空間を埋め尽くし、
強迫観念を刺激する

★《密集会》2019年、260×380mm、鉛筆

★《月の落とし後》2018年、160×234mm、鉛筆

★《逃した時間》2019年、158 x 227mm、油彩

★（右頁）《甘色伝道師》2020年、334×243mm、油彩

★《胸騒ぎ》2020年、155×227mm、鉛筆

★《季節が変われば》2018年、297 x 210mm、鉛筆

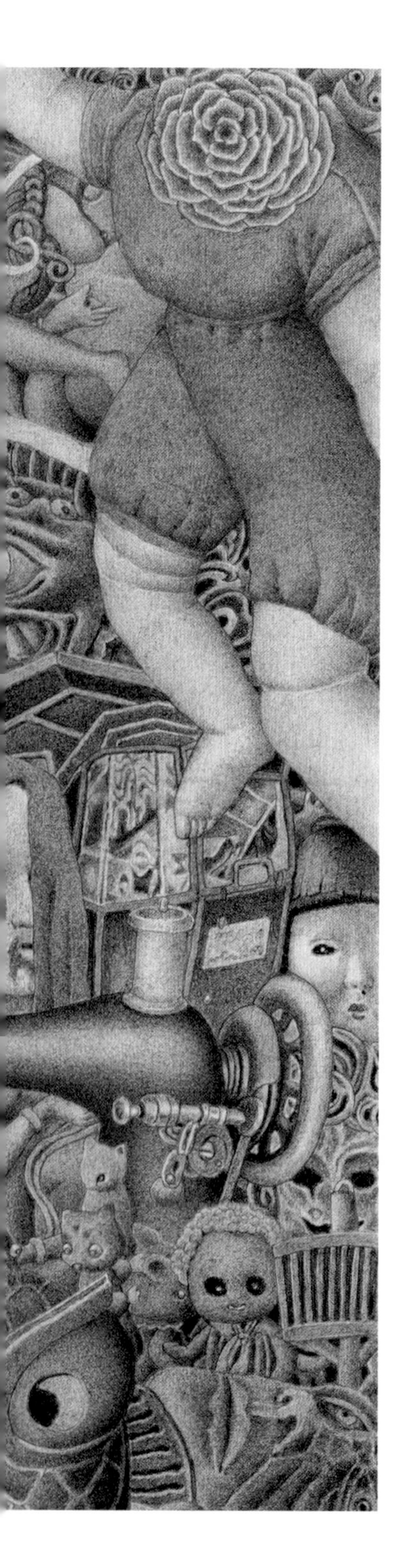

ひしめき合う背景に目を潜ませた、原初の力に満ちた幻想

★《箱の中の宇宙》2020年、297 x 210mm、鉛筆

例えば、アンリ・ルソーを思い浮かべる。19世紀半ばから20世紀初頭まで生きたこの画家の作品は、素朴で少々稚拙な感じではあるが、味わい深い。描かれたジャングルは遠近感に乏しいが、葉の一枚一枚が丹念に描写されている。そのジャングルの中に裸体の女性が横たわり、生い茂る葉の陰から獣がギョロリとした目をのぞかせている。

そんな世界を根橋洋一の作品と比べるのが妥当かどうかは分からないが、丹念さと素朴な幻想性は近いものがあるようにも思う。

根橋の絵の背景を埋め尽くしているのはジャングルではないが、植物だったり得体の知れないものや奇妙な紋様が、ルソー同様乏しい遠近感の中に、ルソー以上の密度でひしめき合っている。根橋は、油彩画の場合は背景のヴィヴィッドな色彩と、彩度の低い灰色の肌との対比が印象的だが、モノクロの鉛筆画になると、それが、肌のなだらかなグラデーションと、隙間なくひしめく背景との対比になる。背景の密度が高いほど、少女の肌の白さが際立つ。

そして背景に描かれているものを見てみれば――よく目につくのが仮面のようなものである。眼球があるものもあれば、ないものもあるが、さまざまな視線が少女のいる空間を埋め尽くしているのだ。仮面でなくても、ギョロリと覗く目もいくつも見つけられるだろう。植物を背景にした作品も油断してはならない。じっくり観察してみたい。葉の隙間に目が潜んでいるではないか。

《密集会》などは、そのような視線の呪縛を拡大して描いたものだと言えるだろうが、その視線は分かりやすくてまだやさしい。《心の隙間を埋めて》になると、初見では少女の裸体だけに目が行くだろうが、うじゃうじゃひしめき合う背後の視線に気づいたとき、人によっては虫酸が走るかもしれない。こんなにも視線がないと「心の隙間」が埋められないのだとしたら、相当な強迫観念だ。

そうした背景は、精霊のような目に見えない存在を具象化して描いたものだ、という解釈も可能かもしれない。植物といい、根橋の作品の根底には、そうした原初的な力への信奉、憧憬があるのだ。その点もルソーと共通していると言えるかもしれない。

（沙月樹京）

※根橋洋一 個展「乙女座染色体」は、2021年1月30日〜2月14日に、東京・小伝馬町のみうらじろうギャラリーbisにて開催された。

★《向津具八幡宮》2021年、10号、絹本着彩

TAIRA Shiki

平良　志季

◉文＝志賀信夫

★《三本足対決 八咫烏》2021年、4号、絹本着彩

★《能力者たちの霊媒対決》2021年、6号、絹本着彩

幼少期から、神仏や妖怪など
目に見えないものを想像していた

★《三美女ノ龍玉御狙い図》
2020年、100号、絹本着彩

★《閻魔大王と蒟蒻名人乃地獄審判》2020年、100号、絹本着彩

★《美人に閻魔のペンデュラム占い》2019年、50号、絹本着彩

★《小鬼退散鐘馗図》2020年、15号、絹本着彩

★《三大妖怪三巴図》2021年、12号、絹本着彩

★《夜な々御妖書画会図》2019年、100号、絹本着彩

★《老師唐子の古書読図》2019年、100号、絹本着彩

★《河鍋暁斎展図》2019年、10号、絹本着彩

妖怪の世界を、流麗な筆使いでB級なユーモアを交えて描く

書道で培った筆さばき

平良志季は、妖怪や幽霊などを描く。絹本に筆で描いたその作品は、流麗なタッチと技術から生み出される、独特の幻想的な世界が魅力だ。彼女のような若い世代で、この技術と画風は珍しい。平良はどのようにして、これらの絵を描くことになったのだろうか。

平良は、物心つくころから絵を描くことや図工が好きだった。そして、子どものころは絵画教室に通い、家で静かに絵を描いていて、現在もそのころの絵が残っている。小学生時代に、絵が教科書に載ったこともあり、美術に関する仕事に就きたいといっていたらしい。

平良の父方の祖母が書道の先生で、小学校で教え、自分で書いた短歌の本も出していた。家から自転車で行ける場所に祖父母の家があり、冬休みの宿題の書き初めなどは、そこで習って提出していた。そのため中学・高校でも、筆で文字を描くときには、選ばれて書いたりしていた。彼女の筆さばきは、そこで獲得されたようだ。

彼女は、「何を書くか、描くか」ということよりも、まず筆を使う、筆に慣れるという作業が必要だという。それは、例えば、和紙という素材がどれだけ滲むか、色がどれだけ発色するかなど、素材に慣れることでもある。そのため、書でも絵でも、筆を使うことに、彼女はハードルが低かったと自覚している。

そして、平良が日本画教室で働いていたときも、書道を習っている生徒は、筆の扱いに慣れているので、絵を描くのも上手で、成長が早く、飲み込みがよかった。思ったとおりに筆が動かせるので、スムーズに進められていたという。絵を描くのが上手ということには、デッサン力が高いだけでなく、筆を自在に操れる能力に長けているという意味合いが入っているのだ。

自由度の高いデザイン科へ

そんな平良は、東京芸大ではデザインを学んだそうだ。それは、どうしてだろうか。

彼女には、日本画科は師弟制度、つまりある師匠の画風と表現方法を伝えていくというイメージがあった。それに対して、デザイン科では、好きなように描いていいという風潮で、みんな描くものも、画材もバラバラ、それが許されていた。その点では自由度が高く、自分の思う作品を描けたという。

デザイン科では、ポスターなど印刷物のデザイン、椅子を作るなどの立体、インテリアのデザインなどの空間、環境作りなども学んだ。そのため、作品に文字を入れることへの抵抗がなく、文字も、この作品ならこういう雰囲気のフォントを自分でデザインしよう、こう入れ込もうなどということができる。また、彼女は印を三〇種ほど使い分けているが、そのデザインも自分でできる。また、立体作品もつくれるため、それは、今後も展示会の会場作りなどに生かせるという。

そして、自分の気持ちのいい線をデザインできるため、新しいキャラクターデザインとしての妖怪も作り出している。確かに、彼女の妖怪は、コミカルなもの、明るいものが多く、デザイン的といえるものもある。だがその描写力は、リアルに描いたときには驚くほどだ。『幽寂精螻蛄図』のように、怖い、おどろおどろしいものも、実は描ける。

では、平良が、このような妖怪などの超自然的な存在を描くようになったのは、どうしてだろうか。

幼少期から妖怪などの超自然に親しむ

平良はすごく怖がりで、いまでもホラー映画などは見ることができないという。だが、幼稚園のときから、絵本は、可愛いお化けの出てくるものばかりねだって、読み聞かせてもらったりしていた。

★《焙煎龍》2018年、8号、絹本着彩

★《香炉から龍》2018年、15号変形、絹本着彩

彼女の家は、何かいいことがあると、「ご先祖様が見てくれていた」、悪いことがあっても、「もっと悪くならないようご先祖様がしてくれた」といわれ、試験の前は、仏壇にお線香と手を合わせて挨拶してから行く。「イタイイタイの飛んでいけ」といって、本当に痛くなくなるなど、特に何かの宗教でなく、自然と目に見えない力が当然のようにある家だった。だから、自然だったのだ。

平良は、神仏は、目に見えないものとして妖怪と同種として考えているが、祖母や家族が祝詞も唱えるのを物心つく前から聞いていたので、彼女も長い祝詞を空でいえた。祝詞には日本の神様の名前がたくさん出てくるが、それを聞きながら、巻物のように、この神様はこんな感じ、と想像していた。それが、日本美術を学んでみて、本当にこんな飾りがあったんだとか、子どものころに想像していたのと同じ形や色だと気づいた。だから、幼少期からの体験が、いまでも目に見えないものを描いている要因になっているという。

そういう平良の家族は、ただ信心深かっただけだというが、祖母の病気を機に、より強まったらしい。だが、現在も、アマビエなど、何か人間の手に負えない害が降りかかったときには、自分の安心のため、何かを信じ、恐怖を受け入れやすくする。それは、昔もいまも変わっていない。また、妖怪の作られ方とも似ており、心理学的にも効果的だと思うので、今後もさほど変わらないことだと、彼女は感じている。

確かに、妖怪や幽霊というと、「信じない」という人が大半かもしれない。だが、超自然的なできごとやものごとは、「あるのではないか」と思う人が多いだろう。自分たち人間の力の及ばないものは確実にある。それはどうしてか、というときに、そういう「何か」を人は想像する。それは、そういう存在を信じることが、自分を守り、時には社会を守ることになるからだろう。

平良は、父方からは書道、母方からは神仏を受け継いでおり、それが現在の自分のルーツで、先祖からいただいたものとして、とても感謝しているそうだ。

霊体験者などに取材

平良は、妖怪などについては、研究者にインタビューもしている。彼女は最近、妖怪が見え、霊を祓えるという人に話を聞いてきた。その人は、なかなか手強かったお祓いのあと、疲れて帰っている道中に、「何かが憑いてきている」と感じ、その方向に向けて、スマホで写真を撮ったら、妖怪が映った。見せてもらったその画像が、とにかくすごかったという。「妖怪だ!!」とはっきり感じた。彼女は、画像とはいえ、初めて自分の目で妖怪を見られたので、最高にテンションが上がったそうだ。

平良は、ほかにも、見える人、さまざまな能力、超能力や霊能力などの能力者を集めて、定期的にオカルト懇親会を開いている。そのため、絵だけではなく、オカルト関連仕

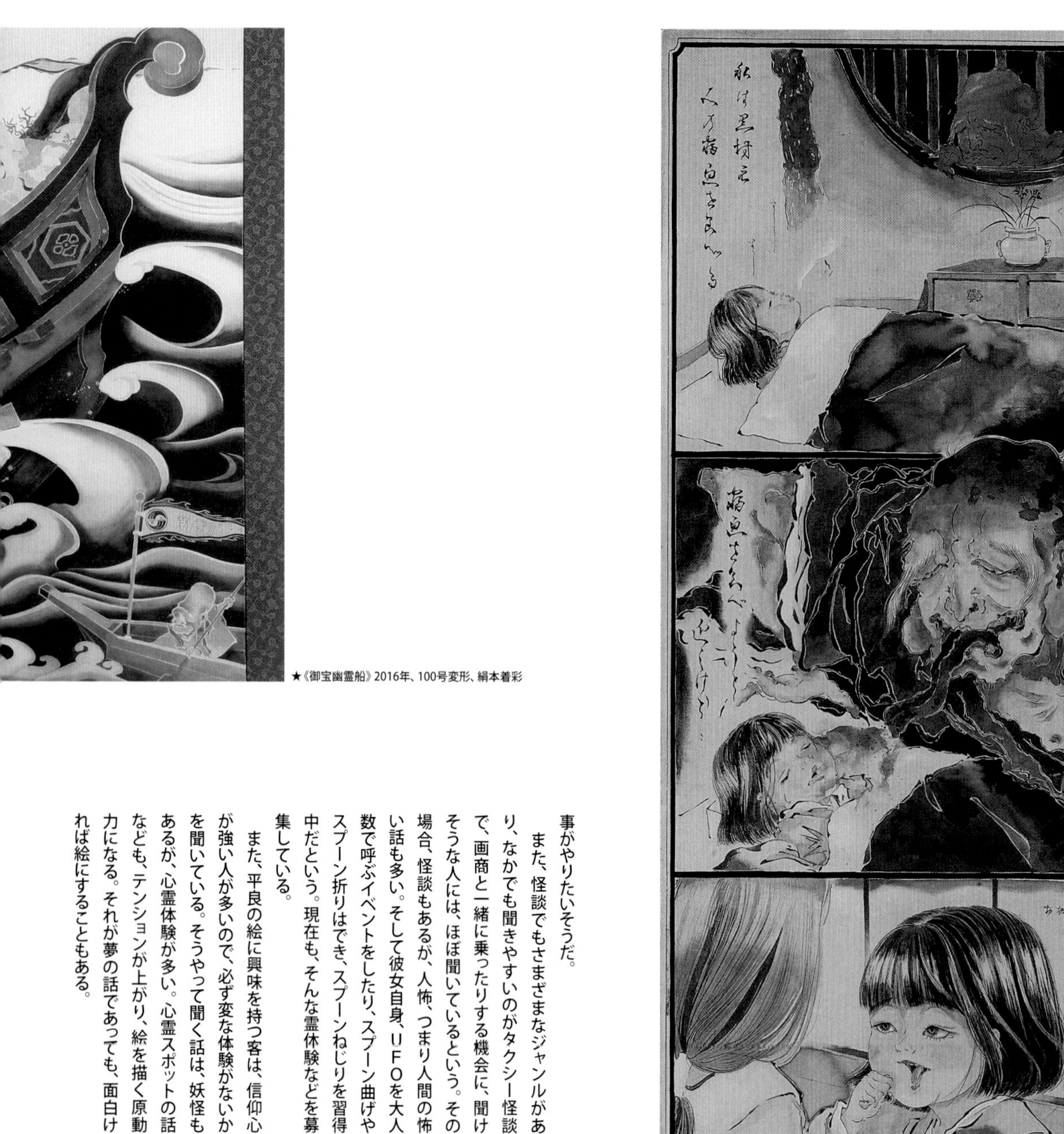

★《御宝幽霊船》2016年、100号変形、絹本着彩

★《切ない黒坊主》2019年、WF4、絹本着彩

事がやりたいそうだ。

また、怪談でもさまざまなジャンルがあり、なかでも聞きやすいのがタクシー怪談で、画商と一緒に乗ったりする機会に、聞けそうな人には、ほぼ聞いているという。その場合、怪談もあるが、人怖、つまり人間の怖い話も多い。そして彼女自身、UFOを大人数で呼ぶイベントをしたり、スプーン曲げやスプーン折りはでき、スプーンねじりを習得中だという。現在も、そんな霊体験などを募集している。

また、平良の絵に興味を持つ客は、信仰心が強い人が多いので、必ず変な体験がないかを聞いている。そうやって聞く話は、妖怪もあるが、心霊体験が多い。心霊スポットの話なども、テンションが上がり、絵を描く原動力になる。それが夢の話であっても、面白ければ絵にすることもある。

そういうなかで、看護師、美容師には心霊体験が多いという。看護師は人の生き死にに接するためだが、美容師は鏡がたくさんあり、合わせ鏡に日常に接していることが原因ではないかと彼女は考える。

また、有名な役者にはそういう体験が結構あるようだ。役者は別の人間になるという憑依的な面もある。「俳優」という字は、人偏に非、人に非ず、そして「優」、つまり人じゃない優れた存在。昔、神事で神役をやっていたことから俳優という漢字になったという説もあり、何かある気がして聞くと、やはり多いという。

自ら生み出した妖怪「壱目様」

彼女は、「壱目様」という独自の妖怪を描いている。それについて、説明してもらった。

中国では、目に見えない空にいるものが神、地上にいるものが妖怪、海には魚、空には鳥、というように、よい悪いではなく、神も妖怪も同じ目に見えないものとして扱われていたという話がある。日本では、人に信仰されなくなり、忘れられてしまった神が妖怪になるという考えがあると、彼女は語る。

そして、古事記や日本書紀に出てきて、昔は天照大皇神に匹敵するほど信仰されていたともいわれるが、いまはほとんど知られていない「天目一箇神」という一つ目の神がいる。平良の「壱目様」はそこから来ている。妖怪の「一本だたら」もそれがルーツだ。これは、鍛冶、たたらの神だが、目が一つの神様をベースに、「いちもくおく」という意味から彼女は「壱目様」＝いちもくさまと命名した。

絹本の魅力

ところで、平良は絹本に描いている。江戸

★《墨龍》2019年、SSM、絹本着彩

期には多いが、明治以降、現在の日本画家では、珍しい。

平良には、絹は、それまでデザイン科で使っていた画材と同じような扱いで描くことができるので、和紙より何倍も描きやすかった。使い出したのは、デザイン科を修了してからなので、ほぼ独学で失敗を繰り返し、人に聞き、本を買い、独自のやり方だという。また、芸大大学院の描画・装飾研究室の押元一敏先生が、修了後に、絹の裏に和紙を張る「裏打ち」という方法など教えてくれた。東京芸大では、基本的には、技術をそのまま教えてくれず、自分でやって質問するというスタイルのため、とにかく画材を買ってやってみる。そうやって会得したから、自分のやり方が正しいかどうかわからないという。

この裏打ちについては、筆者は伊藤若冲で知った。彼の作品の暗く厚みのあるトーンは、黒い和紙で裏打ちしているためだった。近年、若冲が非常にクローズアップされたことで、若冲研究が進み、解明された。本来、裏打ちは、絹を補強し、軸装する際などには表具屋などが行うものだが、若冲はそれを自ら絵画表現に生かしたのだ。

エンタメ性があり、共感を呼ぶ作品

彼女が大きく影響を受けたのは、河鍋暁斎。大好きで、うまいのに、うまさより先に面白さ、ツッコミどころ、笑ってしまうポイントがある。ビジュアルコミュニケーションが上手なので、友だちになりたいと思える作家だという。

つまり、絵がうまいだけではなく、笑いが先にあったりすることで、いかに自然に見せるか、平面への落とし込みの違和感を気づかせないデザイン力、デッサン力や説得力が必要だと感じている。個人的すぎて共感性を持たない作品よりも、暁斎のように、変な絵をきちんとエンタメに落とし込める作家はとても客観性があり、頭がいいと思っている。他にも、江戸時代の浮世絵師、古山師政とかヘンテコだと思ったという。

河鍋暁斎は、平良がTwitterのアイコンにしているので、その思い入れがよくわかる。彼女の作品を見て、暁斎と聞いて、なるほどと思った。極めた技術を持ちながらも、一種のユーモアを感じさせるその画風には、共通点がある。

また、美術以外で、影響を受けたアーティストは、漫画家の諸星大二郎。怪談家、オカルトコレクター、B級スポット、変な世界のジャーナリストの話、最新の科学も好きだという。未完成だが、石川県小松市の大仏、ハニベ岩窟院をつくった初代院主である都賀田勇馬もすごいと思った。最近刺青師と知り合い、刺青アーティストの世界も面白いと思った。ヴィヴィアン佐藤も、世界観をつくることの垣根のなさがすごいと思う、という。彼女の関心と交流が広いことが、よくわかる。そうやってどんどん吸収して、新しい世界を切り開いていくのだろう。

新しいことへの挑戦

彼女の絵は、しばしば従姉妹をモデルに描かれている。従姉妹とは本当に仲がよく、幼稚園や小学生のときは、一緒にプリキュアを見に行ったりしていた。家に遊びに来たときに、着付けしてポーズをしてもらう。よく知っているため、自然で楽しい表情や動きになるという。これを聞いて、家族や親類が彼女をつくっていると感じて、ある種の懐かしさと羨ましさを禁じえなかった。

平良は、現在、制作がとても楽しいので、楽しく絵を描けていられれば特に何もないが、「絵を売る」ことには飽きてきたため、ちょっと変わったことがしたい、もっと体験型にしても楽しいかなと思っている。美術は、あまりに画商や作家側が芸術を崇高なものにしすぎているのが、可能性を潰している気がするので、何かできたらいい。そして、コンテンポラリーアート、現代性をうまく取り入れ、なかなか日本画の世界では受け入れられないが、尊敬し合い、融合させられたらいい。日本人の気質としては、問題を投げかけるだけでなく、解決法まで入れ込み完結させるというのが得意な感じがするので、面白く成長させることができそうだという。

二〇二一年のアートフェア東京で、平良は彼女をフィーチャーした画廊の一角で、絵を描き続けていた。お客と話しながらも、絵に向かい続ける。その姿勢は、天晴れで、本当に絵を描くことが楽しいのだと感じられて、何か、すがすがしさを感じた。

そして平良は、「いい感じにB級感を残しつつも作家として成長し、オカルト仕事ができたら最高の人生!」と結んだ。オカルト仕事も含めて、彼女の今後の活動には、さらなる期待ができそうだ。

（志賀信夫）

◉文=沙月樹京

◉INFORMATION◉

今どきアート The 5 Arts

林茂樹・森洋史・高松和樹・美島菊名・three

現代の日本社会を
さまざまに投影した作品たち

★美島菊名《MELT》2019年、ラムダプリント ※美島菊名 写真作品集「HOPE」好評発売中

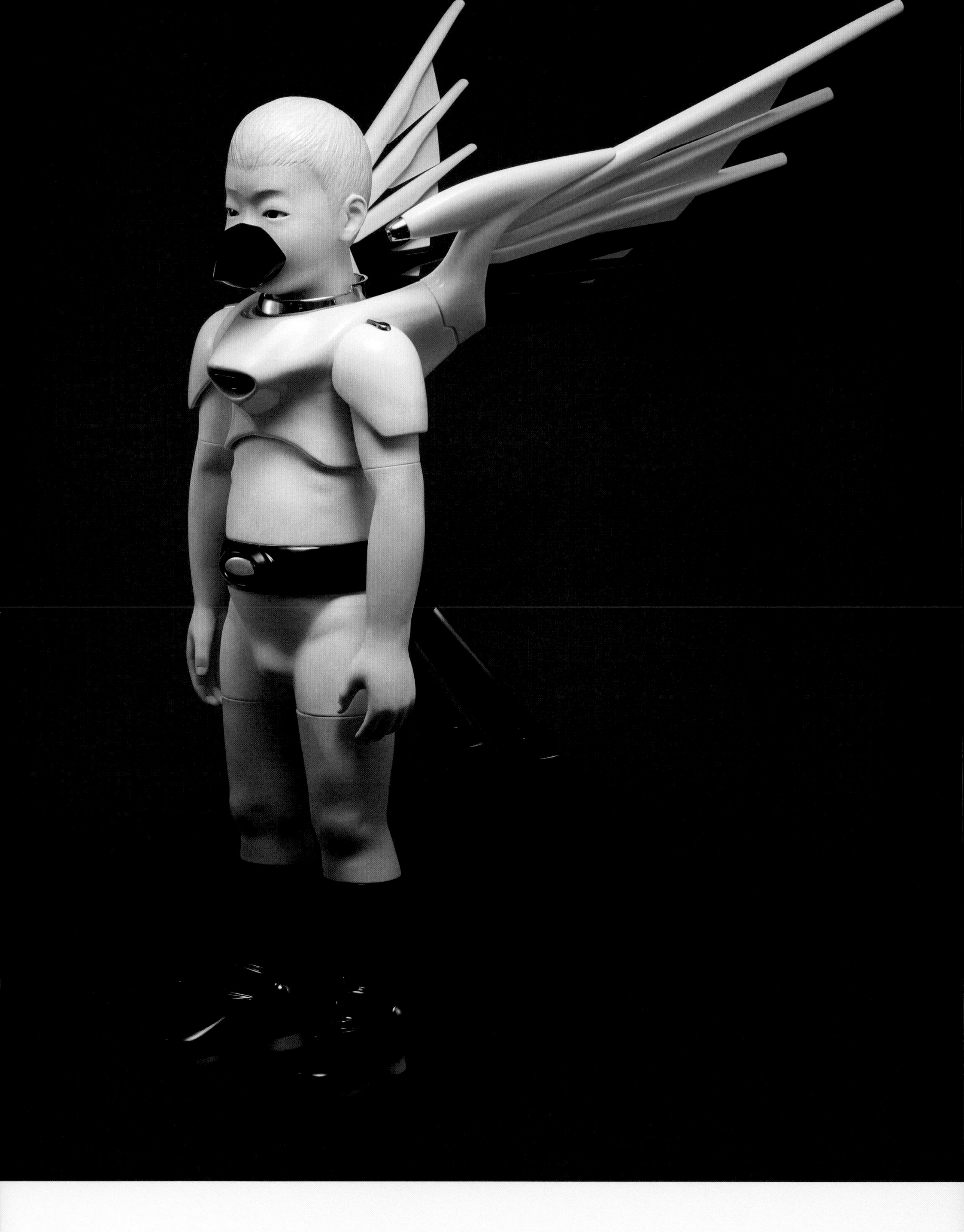

★森洋史《If There was impossible Campbell's Soup Cans...Super Star / miniature edition》2020年、
アクリル板にアクリル絵具・ウレタン塗装・銀鏡塗装・UVシルクスクリーン印刷・木製額縁

★（右頁）林茂樹《deva device "TC-Z"》2019年、磁器土・鋳込み
©野村知也

★three《20.3kg》2017年、フィギュア・ステンレス・FRP・PVC・木

現代美術の「今」を感じさせる注目の若手5人

★（右）鬼頭健吾《cartwheel galaxy》
2018年、アクリル・ラメ・スプレー・カンヴァス
（左）田村吉康《見立て弁天変奏Ⅰ》
2020年、アクリル・金箔・カンヴァス
※この2点は、Ⅰ氏コレクション展 今どきアート「スーパーフラットVSニュー・コンテンポラリーアート」展示作品

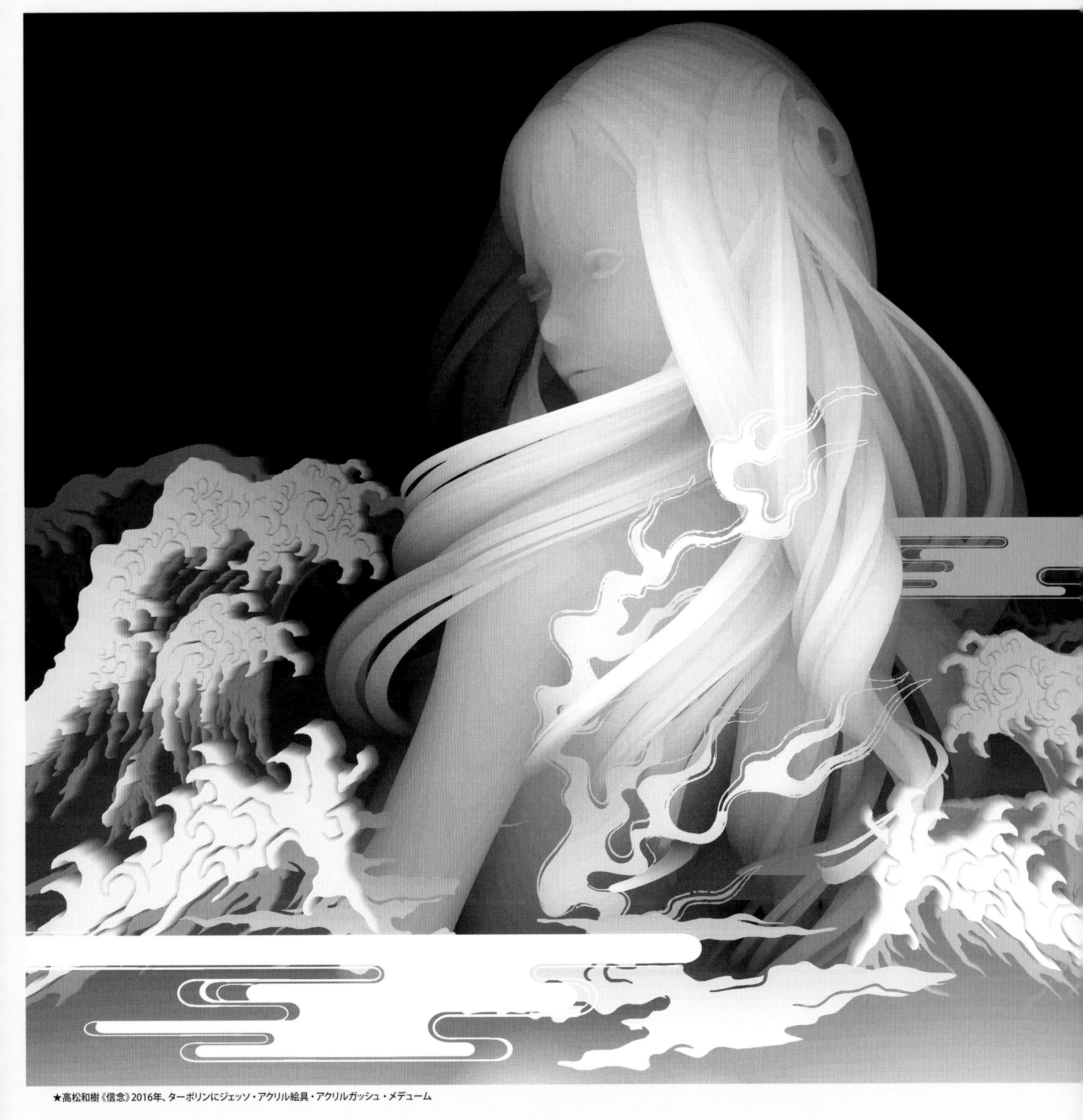

★高松和樹《信念》2016年、ターポリンにジェッソ・アクリル絵具・アクリルガッシュ・メデューム

群馬県富岡市というと、すぐに思い浮かぶのは世界遺産・富岡製糸場だろうか。その富岡製糸場から車で10分ほどのところに、富岡市立美術博物館・福沢一郎記念美術館はある。福沢一郎と言えば、なんともユニークな作品を残した洋画家であり、1920年代後半をパリで過ごし、帰国後シュルレアリスムを日本に紹介したことでも知られる。

その富岡市立美術博物館で2015年から開催されているのが「今どきアート」展だ。市内のコレクター、I氏が所蔵する現代美術を展示し、若手中心の瑞々しいアートに触れられる展覧会である。今年はI氏が、30代から40代の、今後ますますの活躍が期待される5組の作家を選出し、「今どきアート The 5 Arts」として開催される。現代の日本社会をさまざまに投影させた果敢な作家が集う企画展だ。

美島菊名は、セットを手作りして一発撮りした写真によって、少女の秘める思いをあぶり出す。《MELT》は、アイス同様に溶けていく少女の心を暗示するものだろうか。アイスに刺さる棒もなんとも意味深だ。

林茂樹の作品は、一見プラスチックのフィギュアかと思わせるが、陶作品だ。磁器という歴史ある素材で近未来的な造形を生み出しているところがユニーク。

森洋史は、アニメ的なキャラと名画を組み合わせるなど、パロディ的な手法で既知のものを異景化する。キャンベルスープ缶は、中身が出前一丁やドラえもんになったものもあったりする。

threeは、川崎弘紀・佐々木周平・小出喜太郎によるユニット。フィギュアや魚型しょうゆ差しなどを大量に使った視覚的インパクトのある立体作品やインスタレーションで、われわれを取り巻く環境を象徴化する。

高松和樹は、3DCGで描いたものを野外用顔料で出力し、その上からアクリル絵具で手彩色を施した作品だ。等高線状の濃淡で表現される立体感は、闇の中の二次元的な世界のエロスが三次元に浮き出てくるかのような幻惑を醸し、観る者を魅了する。

同時期に常設展示室では、I氏コレクション展 今どきアート「スーパーフラットVSニュー・コンテンポラリーアート」も開催。こちらでは、現在主流のアニメ的なスーパーフラットと、新たな潮流であるニュー・コンテンポラリーアートを対峙させる試みだ。「The 5 Arts」展とあわせて、現代の日本のアートの息吹を体感したい。

（沙月樹京）

★「今どきアート The 5 Arts」
2021年7月3日（土）～8月27日（金）
月休（但し8/9は開館、8/10休館）9:30～17:00
観覧料／一般600円、大学・高校生400円、中学生以下無料
場所／富岡市立美術博物館・福沢一郎記念美術館
Tel.0274-62-6200
https://www.city.tomioka.lg.jp/
http://www.facebook.com/tomiokacitymuseum
※出品作家によるギャラリートークやワークショップなども予定。
※新型コロナウイルス感染拡大防止のため会期等が変更になる場合あり。事前にHP等で確認を。

◉文=沙月樹京

★《たねの実》2020年、333×333mm、透明水彩・アクリルガッシュ・墨・鉛筆 / 水彩紙

GASHOW

畫正

★《峠の惑い》2021年、257×364mm、透明水彩・アクアブロンズ・顔彩・鉛筆 / 水彩紙

★《擬似信仰》2020年、210×297mm、透明水彩・顔彩・墨・ブラックライトインク・鉛筆 / 水彩紙

★《弔する》2021年、210×297mm、透明水彩・錬岩・墨・鉛筆／水彩紙

死者の耳だけを持ち帰り供養したという、耳塚の思い出

★《翠黛（すいたい）》2019年、287×387mm、透明水彩・顔彩・墨・鉛筆 / 水彩紙

★《眩》2000年、227×227mm、
透明水彩・アクリルガッシュ・顔彩・
鉛筆 / 水彩紙

★《蛇の虹樫》2021年、257×364mm、透明水彩・アクアブロンズ・錬岩・鉛筆 / 水彩紙

★《虚の浄域》
2018年、332×332mm、
透明水彩・顔彩・鉛筆 / 水彩紙

子供の頃に見聞きした地元の伝承を耽美に描く

美しい少女や少年の水彩画だが、どことなく妖しい雰囲気を湛えている。おどろおどろしげな妖気が立ち上っていることもあるし、身体が人外になっている場合もある。そもそも人物の表情には笑顔などなく、どちらかと言えば辛苦や邪心のようなものが透けて見える。

これらの作品は、すべてではないが、子供の頃に聞いた、地元に伝わる昔話を元に描いたのだという。畫正の生まれは鳥取。鳥取大学の地域学部地域文化学科を卒業後、デザインの専門学校に通ったというキャリアの持ち主で、画家としては少々異色だ。その経歴からは、地元での伝承への興味が、畫正の中にしっかり根ざしたものであることをうかがわせる。

たとえば《弔する》は、鳥取県岩美町にある耳塚と呼ばれる石碑から着想を得たものだという。14世紀半ばの南北朝時代、山陰一帯を治めていた山名時氏が京都奪還を目論んで出陣するが350名近い戦死者を出して撤退、死体の耳だけを切り取って持ち帰り供養したのが、この耳塚だ。畫正は小さな頃、友達の家に行くたびにこの耳塚を目にし、怖さを感じてい

★《花嵐》2018年 / 2021年加筆、100×150mm、透明水彩・鉛筆 / 水彩紙

★《災を連れ行く》2021年、227×227mm、透明水彩・墨・鉛筆 / 水彩紙

★《清め流す日》2021年、227×227mm、透明水彩・顔彩・アクアブロンズ・鉛筆 / 水彩紙

たそうだ。

このような伝承は、ちゃんと受け継がれているものもあれば、忘れ去られてしまったもの、忘れ去られつつあるものもある。畫正は、それらを残したいという使命感をもって描いているのではなく、あくまでモチーフにしているのは、自分が見聞きし体感したもの。その記憶が幻想化されてひとつの作品になる。

だが、伝承が纏う現代とは異なる条理や不思議さが、その幻想に深みを与えているのは確かだろう。しかも畫正は、イマ風の美少女・美少年に仮託し、現代的な耽美な世界の中にそれを描き出すのである。（沙月樹京）

※畫正個展「あはれつれなし」は、2021年3月27日〜4月7日に、大阪・中崎町のSUNABAギャラリーにて開催された。

◉文＝沙月樹京

★《帰りしな》2020年、180×180mm、アクリリック・グロスバーニッシュ／ケント紙

YOSHIDA Yuka

吉田　有花

★《落ちかけた》2020年、227×158mm、アクリリック・グロスバーニッシュ／ケント紙

★《13時過ぎ》2020年、220×273mm、アクリリック・グロスバーニッシュ / ケント紙

★《もてなしバス停》2020年、333×333mm、アクリリック・アクリルガッシュ・グロスバーニッシュ / ケント紙

★《くるむ》2020年、333×333mm、アクリリック・グロスバーニッシュ / ケント紙

生活感のある昭和的な風景の中に現代の少女像を投影

★《秘密の練習》2018年、333×333mm、アクリリック・グロスバーニッシュ / ケント紙

★《ゆめゆめ》2020年、333×333mm、アクリリック・グロスバーニッシュ / ケント紙

★《夢事務所》2020年、530×455mm、アクリリック・グロスバーニッシュ / ケント紙

2.10公開

★《バブル》2020年、410×318mm、アクリリック・アクリルガッシュ・グロスバーニッシュ / ケント紙

★《浮遊三角座り》2020年、410×410mm、アクリリック・アクリルガッシュ・グロスバーニッシュ / ケント紙

昭和あたりの時代を思わせる風景の中で、真ん丸な目をした少女が、少々のんきそうに何かを楽しんでいる。ブラウン管テレビ、電線、トタン、手描き看板など、レトロな要素満載で、いろんなものがごちゃごちゃ溢れているが、それらは決してひどく古びていたり廃れていたりはしない。生活の中で立派に役立っているものたちなのだ。

だが、吉田有花が過去への郷愁にとらわれているかというとそうでもなく、少女たちはスマホを持っているし、ニンテンドーDSらしきものもある。おそらくこの世界のキーのひとつとして考えられるのは、モノとしての実体感だろう。ヴァーチャルで手につかめないものではなく、実体のあるものに囲まれている安心感のようなものがあって、だから少女らはとても居心地がよさげなのではなかろうか。

しかし吉田は、ヴァーチャルな世界も作品に取り込む。しばしば画面を横切る、黒く太い線で描かれた動物の顔や花のようなものは、ツイッターのアイコンやLINEのスタンプのようなものをイメージしているのだという。それらが背景を埋

※吉田有花 個展「生活に夢中」は、2021年1月23日〜2月3日に、大阪・中崎町のSUNABAギャラリーにて開催された。

★《漂う》2019年、273×220mm、アクリリック・アクリルガッシュ・グロスバーニッシュ / ケント紙

★《個人09》2020年、318×410mm、アクリリック・アクリルガッシュ・グロスバーニッシュ / ケント紙

実体感あるモノが溢れた、自由気ままなレトロ世界

め尽くす〈個人〉のシリーズは、ネットで繋がっている相手の肖像。しかもその姿はアバターなどではなく、吉田が描く他の人物と変わりない。つまり、ネットで繋がった相手でも、ちゃんと実体を持っているんだということがそこに込められているのだ。

吉田の作品は、レトロな要素や、異世界感を醸すマゼンタの色調に彩られているが、その画面に投影するのは、同時代の、現代の少女たちのあり方。吉田はそうした少女らを通して自由気ままな世界へいざなってくれるのである。（沙月樹京）

—忘れていることがある、
なにかかなしいこと—

◉文＝沙月樹京

★《鬼灯》2021年、560mm、石塑粘土・胡粉・珈琲・パステル

KOZAI Ryu

高齊　りゅう

★《メリーゴーラウンドの双子》2018年、540mm、モデリングキャスト・胡粉・パステル

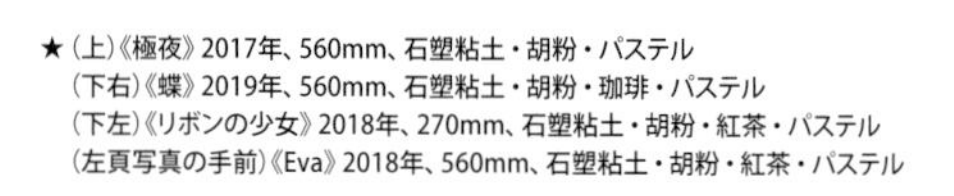

★（上）《極夜》2017年、560mm、石塑粘土・胡粉・パステル
（下右）《蝶》2019年、560mm、石塑粘土・胡粉・珈琲・パステル
（下左）《リボンの少女》2018年、270mm、石塑粘土・胡粉・紅茶・パステル
（左頁写真の手前）《Eva》2018年、560mm、石塑粘土・胡粉・紅茶・パステル

悲しみを受け止め 祈りの中に生きる人形

高齊りゅうはいう。

「人形は私に囁く。——忘れていることがある、なにかかなしいこと——」。

深い悲しみ、それを乗り越えるための祈り。祈りの中で悲しみを噛み砕き、消化し、それでもなお、祈り続ける。

鎮魂し悲しみを忘れるための「祈りの国」。だがそこにおいて人形はおそらく、悲しみを共に乗り越える存在であるとともに、われわれの代わりに悲しみを忘れず秘め続ける存在なのかもしれない。

高齊の人形の表情は、そう思って覗けば、どことなく悲しげに見える。いや、悲しさと向き合ってくれているとでも言おうか。

人形は、人の、そのときそのときの思いを祈りとして託され、受け入れる。人は弱い存在だから、生きていくためにその思いを無きものにしようとする。だけどそれは、本当は大切なものなのだ。だから、思いを永遠に抱え続けてくれる人形は、かけがえのない伴侶なのである。

高齊の人形は、そうしてわれわれの祈りの中を生き続けるのだろう。

（沙月樹京）

◉高齊りゅう個展「祈りの国」
2021年7月22日（木）～8月1日（日）火・水休
13:00～18:30（最終日～17:00）入場無料
場所／東京・曳舟 gallery hydrangea
https://gallery-hydrangea.shopinfo.jp/

◉文＝沙月樹京

★《おめかし》2021年、242×333mm、透明水彩・アクリル・胡粉ジェッソ／パネルに水彩紙

OKUMURA Aka

奥村　あか

★《燃え、沈みゆく》2021年、910×1167mm、透明水彩・アクリル・胡粉ジェッソ / パネルに水彩紙

地球の命を燃やし、われわれも気づかないまま、
共に燃えていく

★《連鎖》2021年、227×160mm、透明水彩・アクリル・胡粉ジェッソ / パネルに水彩紙

★《横切る熱》2021年、180×140mm、透明水彩・アクリル・胡粉ジェッソ / パネルに水彩紙

★《沈む大地》2021年、360×140mm、透明水彩・アクリル・胡粉ジェッソ / パネルに水彩紙

★《祈るふり》2021年、227×227mm、透明水彩・アクリル・胡粉ジェッソ / パネルに水彩紙

★《地を離れ、天に昇る》2020年、300×300mm、透明水彩・アクリル・胡粉ジェッソ / パネルに水彩紙

★《朽ちるものと在る》2020年、410×410mm、透明水彩・アクリル・胡粉ジェッソ / パネルに水彩紙

★《パピヨン》2020年、652×652mm、透明水彩・アクリル・胡粉ジェッソ / パネルに水彩紙

★《星と見守ってる》2020年、273×273mm、透明水彩・アクリル・胡粉ジェッソ / パネルに水彩紙

★《破裂する惑星（ほし）》2020年、273×273mm、透明水彩・アクリル・胡粉ジェッソ / パネルに水彩紙

★《二人の夜》2020年、333×242mm、透明水彩・アクリル・胡粉ジェッソ / パネルに水彩紙

★《きらめき》2020年、180×180mm、透明水彩・アクリル・胡粉ジェッソ / パネルに水彩紙

★《祝福》2020年、227×160mm、透明水彩・アクリル・胡粉ジェッソ / パネルに水彩紙

★《世界を創造する》2019年、333×333mm、透明水彩・アクリル・胡粉ジェッソ / パネルに水彩紙

少女の姿は、環境破壊に対して無垢で愚鈍なわれわれの姿

まん丸の顔に、まん丸の大きな目がふたつ。鼻はなく、小さなキズのような口がぽつんと付いている。身体は裸だが、いわゆる肉体美を示すものではなく、凹凸に乏しい。

奇妙で朴訥そうな少女像を描き続けている奥村あか。4、5年前の作品を見てみれば、もう少し具体的な情景の中に、もう少し、ポーズなど身体的な表情のある少女が見受けられるが、今回の個展では、展示作の多くが正面向きのバストアップ。少女の体型もだんだん幼くなっているように思う。無駄な情報を削ぎ落とし、シンプルにメッセージを投げかけるようになった、とも言えるかもしれないし、少女像が情景に取り込まれ、その一部になった、とも言えるかもしれない。

そう、おそらくその少女は、少女としての可愛らしさや美などといった俗なイメージを体現するために描かれているのではない。描く絵の世界とわれわれの関係性を伝えるための記号として存在しているだけだ、と言ったら過言だろうか。だから朴訥で無表情で無口でよく、人と分かるような最低限の造形があればよい――いや、そうでなくてはならない。

奥村が、どんな世界に少女という記号を埋め込んだかというと、そこには木や花、山や波などを見て取ることができるだろう。ドクロの形をした地球を、少女が膝で挟んでいる作品もある。そう、絵の根底にあるのは地球の自然、しかもその環境問題への想いだ。奥村はいう。「人間は、地球を住みやすい惑星にするため自然を破壊」しており、「地球の命を燃やすということは、私たち人間の命も燃えるという事」にほかならない。そこに描かれている少女は、そうした状況を傍観し「気づかないまま共に燃えていく」存在なのだという。そしてその少女は、われわれ自身のことなのだ。

少女の姿は、木や地球などと較べるととても大きい。それだけ影響力があるということなのだろうか。人には創造者と同等の力がある。地球をよりよくきらめかせるのも、破壊してしまうのも、われわれのおこないにかかっている。奥村の描く少女の体型は、ある意味、そんなわれわれの無垢な愚鈍さを象徴しているのかもしれない。

（沙月樹京）

※奥村あか個展「生き焼きの惑星（ほし）」は、2021年2月27日～3月3日に、大阪・中崎町のSUNABAギャラリーにて開催された。

★《南風》2019年、50×35cm、紙・ペン・鉛筆・アクリル絵具
※p.99～107は、個展「乱気流」より

SUGAWA Makiko

須川　まきこ

★《麗らか》2019年、40×38cm、紙・ペン・鉛筆・アクリル絵具

★《Cherry》2020年、46×42cm、紙・ペン・鉛筆・アクリル絵具

ユーモアもまぶされた
ピュアなエロティシズム

★《お月さま、こんにちは》2019年、55×40cm、紙・ペン・鉛筆・アクリル絵具

★《待ち人》2020年、55×40cm、紙・ペン・鉛筆・アクリル絵具

★《カーリーヘア》2020年、38×30cm、紙・ペン・鉛筆・アクリル絵具

★《カーニバル》2020年、38×30cm、紙・ペン・アクリル絵具

★《新月と観音》2020年、42×29cm、紙・ペン・アクリル絵具

★《ひな祭り》2020年、40×30cm、紙・ペン・アクリル絵具

★《How to love》2020年、33×23cm、紙・ペン・アクリル絵具

※p.108〜110は「現代春画考『春ごもり』須川まきこ＋鳥居清長」より。

◎伝統手摺り江戸木版画による作品は、いずれも
用材：山桜（合板）
用紙：越前生漉奉書紙
（漉き：人間国宝・岩野市兵衛）
彫り：永井沙絵子
摺り：早田憲康
制作：東京・高橋工房
監修：高橋由貴子

★《現代春画考「春ごもり（レース）」》2021年、37×15cm、伝統手摺り江戸木版画

★《現代春画考「春ごもり（スマホ）」》2021年、37×15cm、伝統手摺り江戸木版画

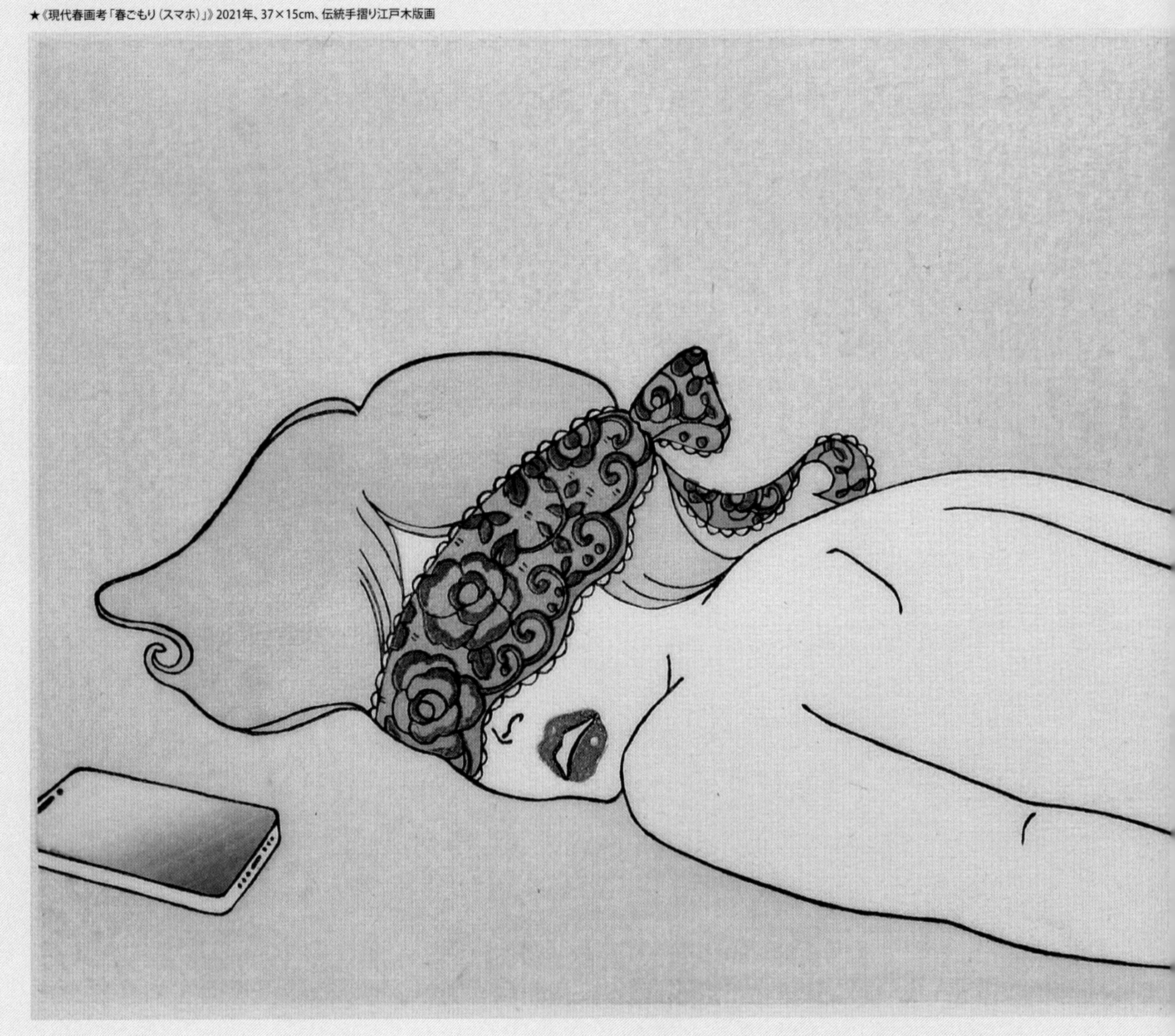

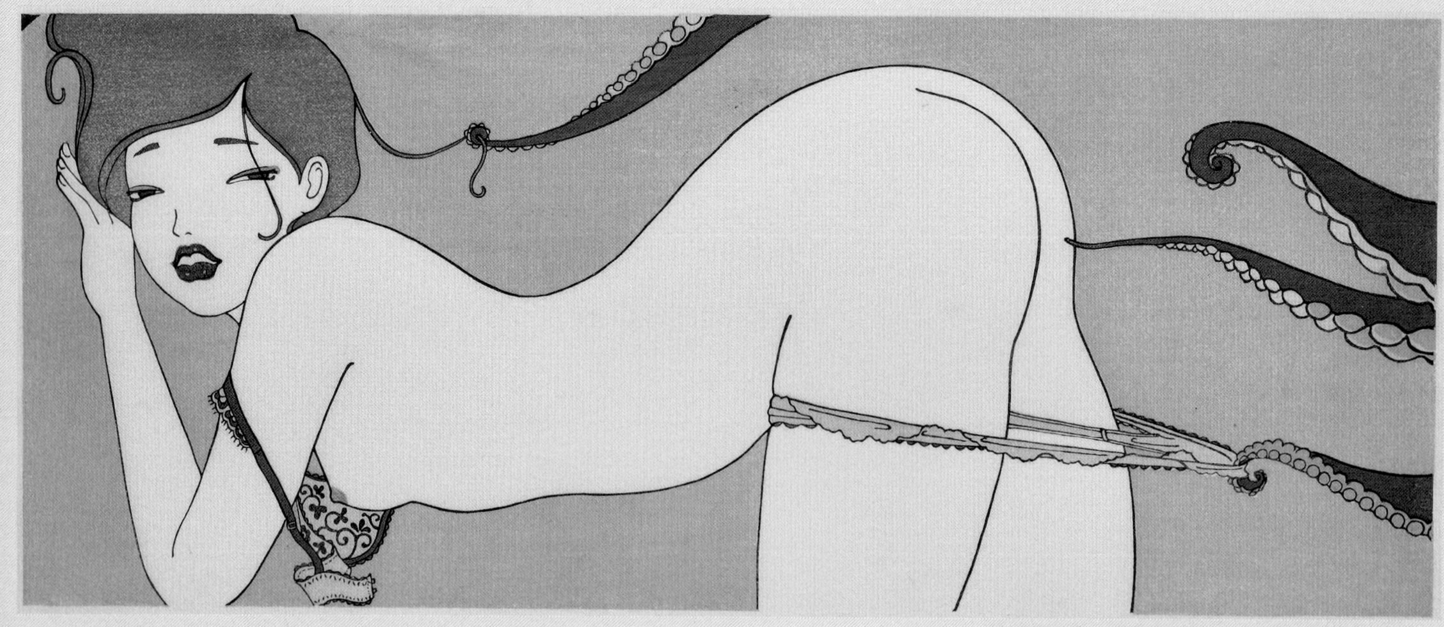

★《現代春画考「春ごもり（蛸）」》2021年、37×15cm、伝統手摺り江戸木版画

江戸木版画によって表現された 須川作品のあらたな魅力

須川まきこが「令和の春画」を描く――須川はエロス漂う作品も多く描いているが、直接的な交わりを描くことはない（そもそも男性は描かない）。鳥居清長の春画とどのような対比になるのか興味深かったが、出来上がった作品は、版画ならではの線や塗りの微妙なにじみ、ムラが非常にいい質感で絵に厚みを与え、なかなか見ごたえのあるものだった。線で表現する須川の作品だからこその出来栄えだろう。

「現代春画考『春ごもり』須川まきこ＋鳥居清長」と題されたこの展示は、高度な江戸木版画技術を受け継ぐ高橋工房が、春画の技術を次世代の職人に継承していくために、現代作家による春画を制作し発信していこうとおこなわれたもの。鳥居清長『袖の巻』全12図復刻プロジェクトのうち、摺り上がった6図とともに須川による作品が飾られ、使用された木版なども展示された。

須川は、国内外での展示の他、自身も義足であることから、義足のファッションショーに出演するなど、多彩な活躍をみせている。今回前半に掲載した個展「乱気流」の展示作を見てみれば、舞う髪やレースの下着などが、ピュアで上品なエロティシズムを漂わせ、そこにほんのりユーモアがまぶされている。この、義足もファッショナブルに見せるいい意味での軽さが須川ならではだ。そして高橋工房による版画は、その世界の新たな魅力を見せてくれたと言えるだろう。（沙月樹京）

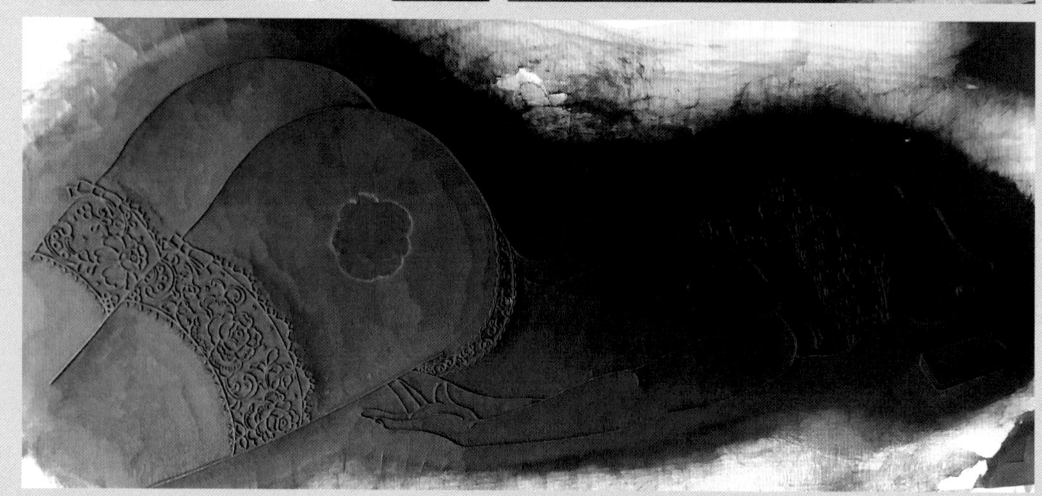

★木版の数々

※須川まきこ（絵）最合のぼる（文・写真・構成）
「甘い部屋（仮題）～暗黒メルヘン絵本シリーズ4」2021年11月発売予定!
B5判・カバー装・64頁・税別2255円／発行：アトリエサード、発売：書苑新社
※須川まきこ画集「melting～融解心情」好評発売中

※須川まきこ個展「乱気流」は、2020年11月23日～28日に、東京・外苑前のSPACE YUIにて開催された。
※「現代春画考『春ごもり』須川まきこ＋鳥居清長」は、2021年3月20日～22日に、東京・表参道のスパイラルルームにて開催された。

◎TH Art series

◎話題書

駕籠真太郎 画集「死詩累々」
978-4-88375-403-8／B5判・128頁・カバー装・税別3200円
●奇想漫画家・駕籠真太郎、初の本格的画集！ 猟奇的だけど可愛らしく、アブノーマルだけどユーモラスな、不謹慎すぎるアートワークの全貌！

目羅健嗣(絵) 冬木洋子(詩)「楽園のかけら～ねこの詩画集」
978-4-88375-435-9／A5判・64頁・カバー装・税別2000円
●愛らしかったり、ちょっとすねた感じだったり…人気猫絵師・目羅健嗣の絵に作家・冬木洋子が幻想的な詩を添えた珠玉の詩画集。

小川貴一郎 作品集「監禁芸術 confinement art」
978-4-88375-419-9／A5判・128頁・カバー装・税別2500円
●1日目、イヴ・サンローランに蟻を描いた。COVID-19の流行で渡仏が延期になり、緊急事態宣言発令中、家にこもって制作し続けた芸術の記録。

◎北見隆作品集

北見隆 装幀画集「書物の幻影」
978-4-88375-398-7／B5判・96頁・ハードカバー・税別3200円
●赤川次郎、恩田陸、中島らも、津原泰水…あのワクワクは、この絵とともにあった！ 40年の装幀画業から、約400点を収録した決定版画集！

北見隆 作品集「本の国のアリス～存在しない書物を求めて」
978-4-88375-223-5／A5判・64頁・ハードカバー・税別2750円
●本そのものが、「アリス」の物語の、愉快な舞台(ワンダーランド)に！ 本の形をした"ブックアート"を中心に、不思議な物語に満ちた作品集!!

◎幻想画集

九鬼匡規 画集「あやしの繪姿」
978-4-88375-426-7／A5判・64頁・カバー装・税別2000円
●このうえなく美しき妖怪たち——妖艶なるファム・ファタールから、愛らしい少女まで、怪異や妖怪を女性像で描く、九鬼匡規の初画集!!

東學 作品集「東學肌絵図鑑 DRESS CODE」
978-4-88375-420-5／A5判変型・576頁・税別15,000円
●一夜限りで消えていく、墨絵師と女神たちの共犯作。180名余りの女性の肌に筆を走らせ撮影した「肌絵ヌード」をまとめた576頁の写真集!

高田美苗 作品集「箱庭のアリス」
978-4-88375-393-2／B5判・64頁・ハードカバー・税別2700円
●混合技法によるタブローから銅版画まで、少女をモチーフとした夢幻世界を描き続ける高田美苗の軌跡を集約した、待望の作品集!

スズキエイミ 作品集「Eimi's anARTomy 102」
978-4-88375-358-1／B5判・64頁・ハードカバー・税別2750円
●"美の本質は肉体、肉体の本質は死"。名画などを巧みに組み合わせて作り上げられた解剖学的でシニカルな美の世界。国内初の作品集!

森環 画集「愛よりも奇妙～Stranger than love」
978-4-88375-264-5／B5判・64頁・ハードカバー・税別2750円
●なんて奇妙な、ワンダーランド！「ボローニャ国際絵本原画展」入選など、不思議な世界観で人気の画家の幻想的な鉛筆画集!

椎木かなえ 画集「同じ夢～Same Dream～」
978-4-88375-252-2／A5判・64頁・ハードカバー・税別2750円
●闇に住まう人の、いびつな愛と、不穏な夢。奇妙で秘儀的な心象風景が、観る者を夢幻の世界へ導く、椎木かなえの初画集!!

町野好昭 画集「La Perle(ラ・ペルル)—真珠—」
978-4-88375-132-7／A5判・64頁・ハードカバー・税別2800円
●中性的な少女の純化されたエロスを描き続けてきた孤高の画家、町野好昭の幻想世界をよりすぐった待望の作品集!

◎写真集

美島菊名 写真作品集「HOPE」
978-4-88375-308-6／B5判・64頁・ハードカバー・税別2750円
●少女よ あなたは 世界を変える——少女の無垢と欲望を、インパクトあるヴィジュアルで表現してきた美島菊名、初の写真作品集!

村田兼一 写真集「女神の棲家」
978-4-88375-416-8／B5判・96頁・ハードカバー・税別3200円
●古の女神を現代の少女に重ね合わる——魔術的なエロスやタナトスと、御伽の様な叙情性が混交する村田兼一写真集、第7弾!

谷敦志 写真集「Flowers and Nudes」
978-4-88375-284-3／A4判・64頁・ハードカバー・税別3800円
●透き通るような静けさをまとう、ヌードと花。進化し続ける孤高のアーティストの「今」が詰まった、最新写真集! A4サイズの豪華版!

谷敦志 写真集「アンビバレンス」
978-4-88375-148-8／A5判・64頁・ハードカバー・税別2800円
●ダークでカオティック、フェティッシュでアヴァンギャルド、そして最高にスタイリッシュ! 異型の写真家の処女写真集!!

珠かな子 写真集「いまは、まだ見えない彗星」
978-4-88375-371-0／B5判・64頁・ハードカバー・税別2700円
●私にとってセルフポートレートは〝可愛さと強さの脅迫〟だ。私たちには無数の未来があって、女の子は強くなれる。待望の写真集!!

◎暗黒メルヘン絵本シリーズ

鳥居椿(絵) 最合のぼる(文・写真・構成)「青いドレスの女～暗黒メルヘン絵本シリーズ3」
978-4-88375-427-4／B5判・64頁・カバー装・税別2255円
●こんな美しい悪夢なら毎晩でも見たい——深澤翠／不穏な空気感で少女を描く鳥居椿と、最合のぼるによるヴィジュアル物語!

たま(絵) 最合のぼる(文・写真・構成)「夜間夢飛行～暗黒メルヘン絵本シリーズ2」
978-4-88375-392-5／B5判・64頁・カバー装・税別2255円
●《暗黒メルヘン絵本シリーズ》第2弾は少女主義的水彩画家・たまが登場!「残酷で愛らしい、手加減なしの毒入り絵本です」—林美登利

黒木こずゑ(絵) 最合のぼる(文・写真・構成)「一本足の道化師～暗黒メルヘン絵本シリーズ1」
978-4-88375-370-3／B5判・64頁・カバー装・税別2255円
●妖しい世界へいざなう、絵と写真によるヴィジュアル物語! アンデルセンなどの童話を元に生まれた《暗黒メルヘン絵本シリーズ》第1弾!

◎少女系画集

たま 画集「Calling～少女主義的水彩画集VI」
978-4-88375-357-4／B5判・52頁・ハードカバー・税別2750円
●"現代の少女聖画"。ダーク＆キュートな作品で人気のたまの画集、第6弾! 折込み塗り絵や、中野クニヒコによる立体作品も収録!

安蘭 画集「BAROQUE PEARL～バロック・パール」
978-4-88375-213-3／A5判・72頁・ハードカバー・税別2750円
●哀しみや痛みなどを包み込み、いびつだからこそ心を灯す、安蘭の"美"。耽美画家・安蘭の約10年の軌跡を集約した待望の画集!

深瀬優子 画集「Kingdom of Daydream～午睡の王国」
978-4-88375-167-9／A5判・64頁・ハードカバー・税別2750円
●油彩とテンペラの混合技法などによりメルヘンチックで愛らしく、でも少しシュールな作品を描き続けている深瀬優子の初画集!

須川まきこ 画集「melting～融解心情」
978-4-88375-137-2／A5判・112頁・ハードカバー・税別2800円
●欠けていることのエレガンスをセンシティブに描く須川まきこ待望の画集!〝まるで わたしは つくりものの 人形〟

根橋洋一 画集「秘蜜の少女図鑑」
978-4-88375-154-9／A5判・64頁・ハードカバー・税別2800円
●原色に埋もれたイノセントでセクシュアルな少女たちのコレクション! 少女への幻想に彩られた根橋洋一の世界を集約した処女画集!!

こやまけんいち 画集「少女たちの憂鬱」
978-4-88375-096-2／A5判・64頁・ハードカバー・税別2800円
●痛みと遊ぶ少女たちを繊細に描く。女の子たちは完全すぎて、傷つけないではいられない。鋏で、サクリと。—西岡智(西岡兄妹)

◎人形・オブジェ作品集

神宮字光 人形作品集「Cocon」
978-4-88375-378-9／A5判・64頁・ハードカバー・税別2700円
●ビスクなどで作られた愛おしい人形達がさまざまなシチュエーションの中で遊ぶ、かわいくも、ときにシュールでミラクルな世界!

田中流 球体関節人形写真集「Dolls～瞳の奥の静かな微笑み」
978-4-88375-373-4／A5判・96頁・カバー装・税別2300円
●若手からベテランまで、多彩なタイプの球体関節人形を撮影し、その魅力とともに、現代の創作人形の潮流をも写した写真集!!

清水真理 人形作品集「Wonderland」
978-4-88375-364-2／B5判・64頁・ハードカバー・税別2750円
●肉体と霊魂、光と闇、聖と俗…それらの狭間で息づく、人形たちのワンダーランド。多彩な活躍を続ける清水の近年の作品の魅力を凝縮!

ホシノリコ 作品集「蒼燈のばら」
978-4-88375-326-0／B5判・64頁・ハードカバー・税別2750円
●艶かしく息づく球体関節人形、幻想的な物語奏でるオブジェ。ホシノの10年の歩みをまとめた待望の作品集! 写真＝吉田良、田中流

与偶 人形作品集「フルケロイド FULLKELOID DOLLS」
978-4-88375-265-2／A5判・68頁・ハードカバー・税別2750円
●園子温推薦! 多くの人の心に突き刺さっている、凄みのある作品たち。20年の作家生活をここに総括。横4倍になる綴じ込み2枚付!

木村龍 作品集「光速ノスタルジア」
978-4-88375-245-4／B5判・96頁・ハードカバー・税別3500円
●ボックスアートから影像的作品、球体関節人形、絵画などまで、妖美で奇矯、かつ純真な世界を濃密に凝縮した、待望の初作品集!!

芳賀一洋 作品集「錠前屋のルネはレジスタンスの仲間」
978-4-88375-331-4／A5判・224頁・並製・税別2222円
●リアルにつくり上げられた驚きのミニチュア・ワールド! はが いちようの 抒情あふれる世界をおさめた、ノスタルジックな作品集。

林美登利 人形作品集「Night Comers～夜の子供たち」
978-4-88375-288-1／A5判・96頁・ハードカバー・税別2750円
●異形の子供たちは、夜をさまよう——「Dream Child」に続く、人形・林美登利、写真・田中流、小説・石神茉莉のコラボ、第2弾!

◎ExtrART（エクストラート）〜異端派ヴィジュアルアート誌

file.28◎FEATURE：少女への夢想曲
A4判・112頁・並装・1200円（税別）・ISBN978-4-88375-436-6
●イヂチアキコ、くるはらきみ、九鬼匡規、鈴木那奈、傘嶋メグ、蕾／pick up＝吉岡里奈、中尾変、吉田和夏、清水真理、田中流、林美登利

file.27◎FEATURE：死を想い、生を描く
A4判・112頁・並装・1200円（税別）・ISBN978-4-88375-430-4
●亀井三千代、伊東明日香、村上仁美、ある紗、田中童夏、キジメッカ、多賀新、東學、山本竜基、高瀬実穂子、北見隆、後藤麦×今大路智枝子

file.26◎FEATURE：リアルを紡ぎ出す
A4判・112頁・並装・1200円（税別）・ISBN978-4-88375-417-5
●戸泉恵徳、建石修志、山中綾子、田川弘、中島綾美、吉田有花×宮崎まゆ子×きゃらあい、蝿田式、四学科松太、寺澤智恵子ほか

file.25◎FEATURE：ヒトガタは語る
A4判・112頁・並装・1200円（税別）・ISBN978-4-88375-408-3
●三浦悦子、Mekkedori、ヒロタサトミ、垂狐、田野敦司、日隈愛香、横倉裕司、羅入、成田朱希、サワダモコ、山本有彩、塙興子ほか

file.24◎FEATURE：幽玄を垣間見る
A4判・112頁・並装・1200円（税別）・ISBN978-4-88375-395-6
●上田風子、高田美苗、濱口真央、奥田鉄、土田圭介、南花奈、白野有、武田海、村山大明、日影眩、神宮字光、黒木こずゑ×最合のぼる

file.23◎FEATURE：秘めた、この思い
A4判・112頁・並装・1200円（税別）・ISBN978-4-88375-385-7
●池田ひかる、新宅和音、谷原菜摘子、野原tamago、井桁裕子、朱華、日野まき、菊地拓史・森馨、田中流、渡邊光也、千葉和成、TOKYO 2021 美術展

file.22◎FEATURE：隠されていた"美"
A4判・112頁・並装・1200円（税別）・ISBN978-4-88375-372-7
●蛭田美保子、スズキエイミ、椎木かなえ、たま、Kamerian.、ディナ・プロツキー、井上洋介、生熊奈央、衣（はとり）、垂狐、ベルリン・悪魔の山 ほか

file.21◎FEATURE：うつろう、イメージ
A4判・112頁・並装・1200円（税別）・ISBN978-4-88375-360-4
●菅澤薫、大河原愛、有坂ゆかり、大塚咲×七菜乃、夜乃雛月、ニコライ・バタコフ、亜由美、櫻井紅子、吉田有花×ある紗、大島哲以 ほか

file.20◎FEATURE：夢幻の国を逍遥する
A4判・112頁・並装・1200円（税別）・ISBN978-4-88375-346-8
●佐久間友香、木村了子、中村キク、永井健一、長谷川友美、P.ファーガソン、池島康輔、須川まきこ、立島夕子、こやまけんいち、松下まり子 ほか

file.19◎FEATURE：その存在の、ミステリアス
A4判・112頁・並装・1200円（税別）・ISBN978-4-88375-338-3
●藤井健仁、棚田康司、モリケンイチ、後藤温子、中井結、トロイ・ブルックス、ホシノリコ、新竹季次、中川ユウキチ、宮本香那、江村玲 ほか

file.18◎FEATURE：イノセンスが見る夢
A4判・112頁・並装・1200円（税別）・ISBN978-4-88375-323-9
●美島菊名、Risa Mehmet、泥方陽菜、雨宮沙月、月夜乃散歩、ローズ・フレイマス-フレイザー、松永賢、勝野眞言、高松ヨク ほか

file.17◎FEATURE：説話的世界へようこそ
A4判・112頁・並装・1200円（税別）・ISBN978-4-88375-315-4
●夢島スイ、フォレスト・ロジャース、深瀬優子、ある紗、渡辺つぶら、ごとうゆりか、佐藤久雄、大江慶之、安蘭、ドイツのグラフィティ ほか

file.16◎FEATURE：心の中の原初の光景
A4判・112頁・並装・1200円（税別）・ISBN978-4-88375-304-8
●白野有、髙木智広、ANNEKIKI、塩野ひとみ、シマザキマリ、シチョルドル、磯村暖、清水真理、西牧徹、澁澤龍彥 ドラコニアの地平 ほか

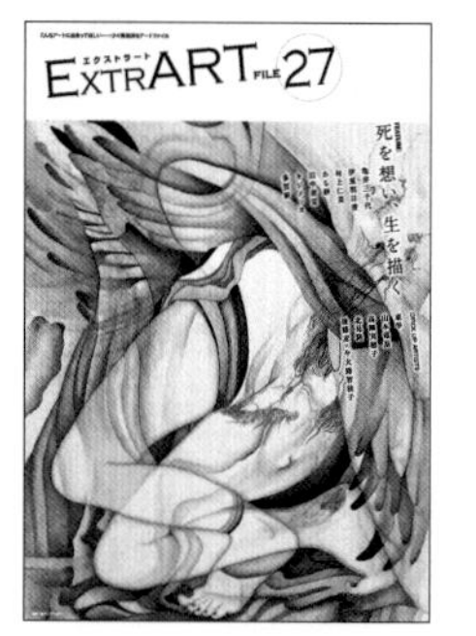

◎トーキングヘッズ叢書（TH Seires）

No.86 不死者たちの憂鬱
A5判・224頁・並装・1389円（税別）・ISBN978-4-88375-439-7
●不死は幸福か？苦しみか？——『ポーの一族』、ヴァンパイアと浦島太郎、『ガリヴァー旅行記』、『火の鳥』からヒーラ細胞へ、クレア・ノースの孤独、ドリアン・グレイ、韓国SF、不老不死になれる（かもしれない）秘薬・霊薬・仙薬、荒川修作、不老不死を生きる童話世界の住民、サザエさんシステム、20年代まんが試論、不死の怪物ブルガサリ他

No.85 目と眼差しのオブセッション
A5判・208頁・並装・1389円（税別）・ISBN978-4-88375-433-5
●窃視、邪視から千里眼、眼球まで、オブセッションの数々！図版構成/泥方陽菜・神宮字光・下田ひかり、邪視にまつわる民俗史、眼球考〜ルドンの絵から、映画から考えた覗き見の功罪、「屋根裏の散歩者」の愉悦、法医学オプトグラフィー、千里眼事件、『ジャガーの眼』を通して唐十郎が寺山修司に捧げたもの、panpanyaが「見る」世界 ほか

No.84 悪の方程式〜善を疑え!!
A5判・224頁・並装・1389円（税別）・ISBN978-4-88375-421-2
●「悪」を意識することは、この世の「善」に対して疑いを差し挟むことだ——ダークナイト・トリロジーにみる悪の本質、〈アート〉と〈革命〉は常に悪である〜テロ的アートの系譜、「黒い幽霊団（ブラック・ゴースト）」には悪意がない、警官を蹴るチャップリン、悪いヤツはだいたいイケメン〜少女漫画におけるモラルとエロス、娼婦と聖性ほか満載！

No.83 音楽、なんてストレンジな！
A5判・224頁・並装・1389円（税別）・ISBN978-4-88375-412-0
●音楽は文化の結節点だ。パンクや電子音楽、ノイズなどから、クラシックまで、音楽をめぐる、少々ストレンジなイマジネーション！恍惚のアヴァンギャルド音楽偏愛史、パンクとポストパンクの思想的地下水脈、イスラムにおける音楽、近代日本の音楽の闇、ワーグナーの共苦と革命、バッハのもとに本当にニシンは降ったのか ほか

No.82 もの病みのヴィジョン
A5判・224頁・並装・1389円（税別）・ISBN978-4-88375-402-1
●「病み」＝「闇」のヴィジョン。人形作家・与偶トークイベントレポ、梅毒をめぐる幾つかの逸話と謎、舞踏病と死の舞踏、「吸血鬼ノスフェラトゥ」とペストのパンデミック、草間彌生の小説『すみれ強迫』、美人薄命の文化史、病と日本人、舞踊家・土方巽の〈病み〉、澁澤龍彥と病、病弱な少年、「ジョーカー」、「ベニスに死す」ほか

No.81 野生のミラクル
A5判・208頁・並装・1389円（税別）・ISBN978-4-88375-389-5
●野生からわれわれは何を学び、何を表現の糧にしてきたか。ケロッピー前田インタビュー〜野生を取り戻してテクノロジーを乗りこなせ、管理された野生、粘菌、牧神、人豚、八化けタヌキ、シュルレアリスムのアフリカ、スクリーンの変身人間、キム・ギヨンが描く〝オス〟と〝メス〟、異類婚姻譚、動物フォークロア、映画『ZOO』ほか

No.80 ウォーク・オン・ザ・ダークサイド〜闇を想い、闇を進め
A5判・224頁・並装・1389円（税別）・ISBN978-4-88375-376-5
●新たな想像力は闇から生まれる。［図版構成］濱口真央、C7、新宅和音、紺野真弓、宮本香那、萌木ひろみ、谷原菜摘子。タスマニアの美術館MONA、書肆ゲンシシャの驚異のコレクション、日本の闇を感じさせるゲゲゲスポット紀行、闇の文学史〜連鎖する自死、萩尾望都が描き始めた「楽園の裏側」、カタコンブという世界の裏ほか。

No.79 人形たちの哀歌
A5判・240頁・並装・1389円（税別）・ISBN978-4-88375-363-5
●［図版構成］田中流写真作品（人形＝日隈愛香・SAKURA・ホシノリコ・舘野桂子）・清水真理・野原tamago・神宮字光、現代の〝生き人形〟〜中嶋清八・井桁裕子・衣・森馨・佐藤久雄、菅美花とリボーンドール、ロボット・アンドロイド演劇の一〇年、映画『オテサーネク』と『マジック』ほか。追悼・遠藤ミチロウなども。

アトリエサードの出版物の購入のしかた・通信販売のご案内

●アトリエサードの出版物が書店店頭にない場合は、書店へご注文下さい（発売＝書苑新社と指定して下さい。全国の書店からOK）。
●Amazonなどネット書店もご活用下さい。

●出版物の詳細はサイト http://www.a-third.com/ へ！ ネット通販でもご購入できます。
■各書籍の詳細画面でショッピングカートがご利用になれます。■郵便振替 / 代金引換 / PayPal で決済可能。

■インターネットをご利用になれない方は、郵便局より郵便振替にて直接ご送金いただいても結構です（ここに掲載している値段は税別なので、必ず消費税を加算して下さい。送料は不要。また連絡欄に希望書名・冊数を明記のこと）。入金の通知が届き次第、発送します（お手元に届くまで、だいたい5〜10日ほどお待ち下さい）。振込口座／00160−8−728019　加入者名／有限会社アトリエサード
■また TEL.03-6304-1638 にお電話いただければ、代金引換での発送も可能です（取扱手数料350円が別途かかります）

出版物一覧

アトリエサードHP

AMAZON（書苑新社発売の本）